COLLECTION LANGUE ET CULTURE
DIRIGÉE PAR JEAN-CLAUDE CORBEIL

LES EXERCICES DU MULTI DICTIONNAIRE DE LA LANGUE FRANÇAISE

CAHIER 3

CORRIGÉ INCLUS

LILIANE MICHAUD
SOUS LA DIRECTION DE MARIE-ÉVA DE VILLERS

LES EXERCICES DU MULTI DICTIONNAIRE DE LA LANGUE FRANÇAISE

- TESTEZ VOS CONNAISSANCES
- DÉJOUEZ LES PIÈGES DE LA LANGUE
- ACTUALISEZ DES NOTIONS OUBLIÉES

Orthographe et exercices variés

Québec Amérique

DIRECTION

PRÉSIDENT : JACQUES FORTIN
DIRECTRICE GÉNÉRALE : CAROLINE FORTIN
DIRECTRICE DES ÉDITIONS : MARTINE PODESTO

CONCEPTION ET RÉDACTION

LILIANE MICHAUD

LECTURE-CORRECTION

MYRIAM CARON BELZILE

PRODUCTION

CHARGÉ DE PROJET : MICHEL VIAU
RESPONSABLE DE L'IMPRESSION : SALVATORE PARISI

ILLUSTRATIONS

CHRISTIAN TIFFET

MISE EN PAGES

PASCAL GOYETTE
KARINE LÉVESQUE
JULIE VILLEMAIRE

PROGRAMMATION

GABRIEL TRUDEAU-ST-HILAIRE

PRÉIMPRESSION

FRANÇOIS HÉNAULT

CONTRIBUTIONS

QUÉBEC AMÉRIQUE REMERCIE LES PERSONNES SUIVANTES
POUR LEUR CONTRIBUTION AU PRÉSENT OUVRAGE :
A CAPELLA DESIGN COMMUNICATION,
MARIE-ÉVA DE VILLERS.

Les Éditions Québec Amérique inc.
329, rue de la Commune Ouest, 3e étage
Montréal (Québec) H2Y 2E1
Téléphone : 514 499-3000, télécopieur : 514 499-3010
www.multidictionnaire.com
www.quebec-amerique.com
www.ikonet.com

Nous reconnaissons l'aide financière du gouvernement du Canada par l'entremise du Fonds du livre du Canada pour nos activités d'édition.

Les Éditions Québec Amérique inc. tiennent également à remercier l'organisme suivant pour son appui financier :

Gouvernement du Québec — Programme de crédits d'impôts pour l'édition de livres — Gestion SODEC.

Imprimé et relié au Québec.
524, Version 1.0

Catalogage avant publication de Bibliothèque et Archives nationales du Québec et Bibliothèque et Archives Canada

Michaud, Liliane
Les exercices du Multidictionnaire de la langue française : cahier
(Collection Langue et culture)
Comprend un index.
Sommaire: 3. Orthographe et exercices variés. 4. Accords et exercices variés.

ISBN 978-2-7644-1126-1 (v. 3)
ISBN 978-2-7644-1127-8 (v. 4)

1. Français (Langue) - Problèmes et exercices. 2. Français (Langue) - Orthographe - Problèmes et exercices. 3. Français (Langue) - Accord - Problèmes et exercices. I. Villers, Marie-Éva de, 1945- . Multidictionnaire de la langue française. II. Titre. III. Collection: Collection Langue et culture.

PC2625.V54 2009 Suppl. 443 C2011-941108-3

Dépôt légal : 2013
Bibliothèque nationale du Québec
Bibliothèque nationale du Canada

TABLE DES MATIÈRES

ALPHABET PHONÉTIQUE

ASSOCIATION PHONÉTIQUE INTERNATIONALE

VOYELLES

[i] **ly**re, r**i**z
[e] jou**er**, cl**é**
[ɛ] l**ai**d, m**è**re
[a] n**a**tte, l**a**
[ɑ] l**â**che, l**a**s
[ɔ] d**o**nner, p**o**rt
[o] d**ô**me, **eau**
[u] gen**ou**, r**ou**ler
[y] n**u**, pl**u**tôt
[ø] p**eu**, m**eu**te
[œ] p**eu**r, fl**eu**r
[ə] r**e**gard, c**e**
[ɛ̃] mat**in**, f**ein**te
[ɑ̃] d**an**s, mom**en**t
[ɔ̃] p**om**pe, l**on**g
[œ̃] parf**um**, **un**

CONSONNES

[p] **p**oivre, lou**p**e
[t] vi**t**e, **t**rop
[k] **c**ri, **q**uitter
[b] **b**on**b**on
[d] ai**d**e, **d**rap
[g] ba**g**ue, **g**ant
[f] **ph**oto, en**f**ant
[s] **s**el, de**sc**endre
[ʃ] **ch**at, man**ch**e
[v] **v**oler, fau**v**e
[z] **z**éro, mai**s**on
[ʒ] **j**e, ti**g**e
[l] so**l**eil, **l**umière
[r] **r**oute, aveni**r**
[m] **m**aison, fe**mm**e
[n] **n**œud, to**nn**erre
[ɲ] vi**gn**e, campa**gn**e
['] **h**aricot (pas de liaison)
[ŋ] (emprunts à l'anglais) campi**ng**

SEMI-CONSONNES

[j] **y**eux, trav**ail**
[w] jo**u**er, **oie**
[ɥ] **hu**it, br**u**it

ABRÉVIATIONS ET CODES UTILISÉS DANS L'OUVRAGE

*	= L'ASTÉRISQUE PRÉCÈDE UNE FORME OU UNE EXPRESSION FAUTIVE
[ ]	= LES CROCHETS ENCADRENT LES TRANSCRIPTIONS PHONÉTIQUES
CDV	= COMPLÉMENT DIRECT DU VERBE
CIV	= COMPLÉMENT INDIRECT DU VERBE
R. O.	= RECTIFICATIONS ORTHOGRAPHIQUES (1990)

LA SECTION **POUR EN SAVOIR PLUS** RENVOIE AUX OUVRAGES SUIVANTS :

VILLERS, MARIE-ÉVA DE. *MULTIDICTIONNAIRE DE LA LANGUE FRANÇAISE,* CINQUIÈME ÉDITION, MONTRÉAL, QUÉBEC AMÉRIQUE, 2009, 1707 PAGES.

VILLERS, MARIE-ÉVA DE. *LA NOUVELLE GRAMMAIRE EN TABLEAUX,* CINQUIÈME ÉDITION, MONTRÉAL, QUÉBEC AMÉRIQUE, 2009, 324 PAGES.

EXERCICE 1

Entourer le mot entre crochets qui est bien orthographié.

1. Le joueur de [thrombone/trombone] a été victime d'une [thrombose/trombose].
2. À la veille de l'examen, un étudiant a eu une poussée d'[eczéma/exéma], et un autre a eu une poussée d'[acné/acnée].
3. Un groupe d'[oto-rhino-laryngologistes/oto-rhyno-laringologistes] a été formé pour étudier la cause de ses [hémorragies/hémorhagies].
4. Ce thé a un goût de [térébenthine/thérébentine] et sent la [charogne/charrogne].
5. Le bouquet comprend, entre autres, des [dahlias/dalhias] et des [jacinthes/jacynthes].
6. L'otage a vécu un véritable [martyr/martyre] : son récit est [patéthique/pathétique].
7. Le plus jeune souffre d'une [amygdalite/amigdalyte], et l'aîné souffre d'une [pharingyte/pharyngite].
8. Les manifestants ont lancé leur cri de [ralliement/ralliment] en guise de [remerciment/remerciement].
9. Le charlatan soigne sa [rubéole/rubhéole] avec un mélange de [rhubarbe/rubarbe] et de [rutabaga/ruthabaga].
10. Faire quelque chose par [acquis/acquit] de conscience, c'est libérer sa conscience pour ne pas avoir de [remord/remords].

RAPPEL

L'orthographe est la manière d'écrire un mot. C'est à force d'écrire et de lire qu'on acquiert une bonne orthographe. Mais il arrive que la mémoire flanche…

POUR EN SAVOIR PLUS, CONSULTER LES MOTS MENTIONNÉS AU *MULTIDICTIONNAIRE*.

RAPPEL

La majuscule initiale sert à mettre un nom propre en évidence. Certains noms propres le sont par essence (les noms de personnes par exemple) ; d'autres sont propres par occasion (notamment les noms géographiques, les noms d'œuvres). On emploie aussi la majuscule au premier mot d'une phrase.

EXERCICE 2

Entourer le mot entre crochets qui est bien orthographié.

1. Le [chinook/Chinook] a presque mis fin aux [jeux/Jeux] olympiques d'hiver de Calgary, en 1988.
2. La lettre majuscule n'existe pas en [arabe/Arabe].
3. Le 2 février, c'est la [chandeleur/Chandeleur] ; tous surveillent si la marmotte sortira ou non ce jour-là.
4. Des Grands [lacs/Lacs] d'Amérique, seul le [lac/Lac] Michigan se situe entièrement sur le territoire des États-Unis.
5. La rencontre réunissait [péquistes/Péquistes] et [libéraux/Libéraux].
6. Elle a accouché un [dimanche/Dimanche], je crois.
7. L'[état/État] de santé du chef d'[état/État] fait la manchette.
8. Le [carnaval/Carnaval] de Québec a lieu en [janvier/Janvier].
9. J'habite 44, 3e [avenue/Avenue] et non 44, [avenue, Avenue] De Lorimier.
10. Le film raconte la fin de la [seconde/Seconde] [guerre/Guerre] [mondiale/Mondiale].

POUR EN SAVOIR PLUS, CONSULTER LES TABLEAUX ▸ **GÉOGRAPHIQUES (NOMS)** ▸ **MAJUSCULES ET MINUSCULES** AU *MULTIDICTIONNAIRE* OU DANS *LA NOUVELLE GRAMMAIRE EN TABLEAUX.*

EXERCICE **3**

Le son « ar » peut se transcrire de bien des façons : *-ar, -are, -ard, -arre, -ars, -art*. Compléter les mots suivants dont la finale correspond au son « ar ».

1. Le ph....... d'Alexandrie était l'une des sept merveilles du monde antique.

2. Je l'ai croisé par has....... le jour de son dép.......

3. Vous recevrez un tiré à p....... de mon article demain au plus t.......

4. Le j......., mâle de l'oie, jargonne.

5. Depuis qu'il est devenu banlieus......., il mange du cavi....... !

6. Le balthas....... de champagne équivaut à 16 bouteilles normales.

7. La devise du Venezuela est le boliv....... ; celle de la Tunisie est le din.......

8. Il dit avoir cuisiné un f....... breton à la perfection, mais il a toujours été un peu vant.......

9. *Ts*....... était un titre porté par les souverains bulg.......

10. Ce lasc....... a fait tout un tintam....... en quittant le b.......

RAPPEL

Sont homophones des mots (*ver, vert, verre...*), des lettres (*o, au...*) ou des syllabes (*oie, oi...*) qui ont la même prononciation, sans avoir le même sens ou la même orthographe.

POUR EN SAVOIR PLUS, CONSULTER LE TABLEAU ▸ **HOMONYMES** AU *MULTIDICTIONNAIRE* OU DANS *LA NOUVELLE GRAMMAIRE EN TABLEAUX*.

RAPPEL

Un barbarisme est une erreur de langage par altération de mot (*infractus au lieu d'*infarctus*). Un peu d'attention... et tout rentre dans l'ordre.

« Les Grecs se faisaient une idée si haute de la valeur de leur langue qu'ils nommaient toutes les autres langues "barbares" (*barbare* signifiait à l'origine "baragouineur" ; on pense généralement que ce mot provient de l'onomatopée *bar bar*, représentant les sons incompréhensibles d'une langue étrangère). »

Catalogue des idées reçues sur la langue,
Marina Yaguello, Seuil.

EXERCICE 4

Entourer et corriger le barbarisme contenu dans chacune des phrases suivantes.

1. Les questions de l'intervieweur sont truffées de disgressions ; c'est très désagréable. **RÉPONSE :** ....

2. La catastrophe lui a coupé le souffle : sa peine est indisable.

RÉPONSE : ....

3. L'ophtalmologue a modifié ma médicamentation.

RÉPONSE : ....

4. L'enfant souffre d'un strabisme heureusement corrigeable.

RÉPONSE : ....

5. Ces explications ne sont pas comprenables, proteste l'enquêteur.

RÉPONSE : ....

6. Ce dictionnaire est épuisé, il va falloir qu'on le réimpressionne.

RÉPONSE : ....

7. Ma connection à Internet est boiteuse ; vite un technicien !

RÉPONSE : ....

8. Son régime de vie est absolument débalancé.

RÉPONSE : ....

9. Vous contredites sans arrêt toutes mes assertions, ça suffit !

RÉPONSE : ....

10. L'encoulure de ta chemise est trop large.

RÉPONSE : ....

POUR EN SAVOIR PLUS, CONSULTER LES MOTS MENTIONNÉS AU *MULTIDICTIONNAIRE*.

EXERCICE

5 Entourer le mot entre crochets qui est bien orthographié.

1. Fido [jape/jappe] en attendant sa [pitance/pittance].
2. Cette [mapemonde/mappemonde] est tout à fait [erronée/erronnée].
3. Les questions [concomitantes/concommitantes] étant réglées, la malheureuse victime voyait enfin le bout du [tunel/tunnel].
4. Son commerce est près de la [faillite/faillitte] à cause de mauvaises transactions [immobilières/immobillières].
5. L'[accolade/accollade] donnée par l'avocat véreux à son client a mis tout le monde dans l'[embaras/embarras].
6. Il [énumère/énnumère] ses diplômes sans [fanfaroner/fanfaronner] : c'est un modeste.
7. Les [alvéoles/alvéolles] de la ruche sont de petites [cellules/cellulles] de cire que fait l'abeille.
8. La [corole/corolle] désigne la partie de la fleur formée par l'ensemble de ses [pétales/pétalles], par opposition au calice.
9. Une éclipse [solaire/sollaire] peut provoquer une brûlure [oculaire/occulaire].
10. Elle saisit son [baluchon/balluchon] couleur rose [saumoné/saumonné].

RAPPEL

L'orthographe est la manière d'écrire un mot. C'est à force d'écrire et de lire qu'on acquiert une bonne orthographe. Mais il arrive que la mémoire flanche… souvent en ce qui concerne les consonnes doubles.

POUR EN SAVOIR PLUS, CONSULTER LES MOTS MENTIONNÉS AU *MULTIDICTIONNAIRE*.

RAPPEL

Un anglicisme est un mot, une expression, une construction, une orthographe ou un sens propres à la langue anglaise utilisés en français. Les anglicismes sont partout, notamment dans le domaine de l'alimentation.

EXERCICE 6

Entourer et corriger l'anglicisme contenu dans chacune des phrases suivantes.

1. Ajouter un avocado bien mûr dans la salade.

   RÉPONSE : ....

2. Arthur adore les tartines de beurre de peanuts.

   RÉPONSE : ....

3. J'ai oublié d'acheter de l'oregano au marché.

   RÉPONSE : ....

4. Quel bonheur, on m'a offert un extracteur à jus!

   RÉPONSE : ....

5. Lisette travaille au snack-bar cinq soirs par semaine.

   RÉPONSE : ....

6. Aimez-vous votre pain toasté ou nature?

   RÉPONSE : ....

7. Un martini extra-dry, svp. **RÉPONSE :** ....

8. Aimeriez-vous un breuvage chaud pour vous réchauffer?

   RÉPONSE : ....

9. Nul besoin d'être musicien pour apprécier les têtes de violon!

   RÉPONSE : ....

10. Ce mélange à gâteau demande l'ajout de trois œufs.

    RÉPONSE : ....

POUR EN SAVOIR PLUS, CONSULTER LE TABLEAU ▸**ANGLICISMES** AU *MULTIDICTIONNAIRE* OU DANS *LA NOUVELLE GRAMMAIRE EN TABLEAUX*.

EXERCICE 7

Ajouter les cédilles et les trémas aux mots qui en comportent dans les phrases suivantes.

1. Quel plaisir inoui d'admirer une forêt de séquoias en Californie !
2. Il est resté stoique en apprenant que son enfant avait besoin d'une greffe de moelle osseuse.
3. Des motifs de caiman ornent son kaléidoscope.
4. Son geste héroique fait presque oublier son comportement égoiste habituel.
5. Dans cette biographie, l'auteure raconte que son aieule acquiescait à toutes les demandes de son fils préféré.
6. Les mots *apothicaire* et *peignure* sont des archaismes.
7. Une petite boîte de mais en conserve contient 2 g de protéines.
8. Elle l'accuse du vol de son assiette en faience, mais ce ne sont que des oui-dire.
9. Après une heure passée à gratter la neige verglacée et les glacons sur sa voiture, il a maintenant les mains couvertes de gercures.
10. Ses amis l'ont délaissé, il avait un tempérament de caid et s'immiscait sans scrupule dans leur vie.

RAPPEL

La cédille est un petit signe qui se place sous le *c* devant les voyelles *a*, *o*, *u* pour indiquer que ce *c* se prononce « s » et non « k ». Petit signe formé de deux points, le tréma se place sur une voyelle (*e*, *i*, ou *u*) pour indiquer qu'elle doit être prononcée séparément de celle qui précède.

« Ah ! la cédille ! Habile et malicieuse petite chose qui se glisse sous le *c* pour en faire un *s*. Exemple : *soupçon*. qui pourrait s'écrire : *soupson*, ou *çoupson*, ou, plus rigolo, *çoupçon*. Avec deux cédilles, *çoupçon* paraîtrait plus suspicieux... »

Les mots de ma vie, Bernard Pivot.

POUR EN SAVOIR PLUS, CONSULTER LES TABLEAUX ▸**ACCENTS** ▸**ACCENTS PIÈGES** ▸**RECTIFICATIONS ORTHOGRAPHIQUES** AU *MULTIDICTIONNAIRE* OU DANS *LA NOUVELLE GRAMMAIRE EN TABLEAUX*.

RAPPEL

L'étymologie est l'origine d'un mot. En français, une grande partie des mots que nous utilisons ont été empruntés, par exemple, à l'anglais, à l'arabe, au grec, à l'italien et au latin.

« Il y a beau temps que nous empruntons à l'allemand pour parler philosophie (*Weltanschauung* est dans le *Petit Robert*), à l'italien pour discuter opéra, à l'espagnol pour la corrida, à l'anglais pour les courses, au turc pour nous reposer sur un divan, etc. Cela a-t-il empêché le français de vivre ? »

François Nourissier, dans un article de *Madame Figaro*, nº 495.

EXERCICE 8

Quelle est la langue d'origine (anglais, arabe, grec, italien, latin) des mots soulignés ?

1. La grenouille appartient à la classe des amphibiens (qu'on appelait anciennement : batraciens).

   RÉPONSE : .... RÉPONSE : ....

2. La jarre a été remplie d'un sirop jaunâtre.

   RÉPONSE : .... RÉPONSE : ....

3. La recette de sorbet demande du jus de lime.

   RÉPONSE : .... RÉPONSE : ....

4. Veux-tu des artichauts ou du brocoli ?

   RÉPONSE : .... RÉPONSE : ....

5. On a vu le fraudeur, incognito, s'adonnant au farniente sur une île.

   RÉPONSE : .... RÉPONSE : ....

6. Un motif représentant une antilope orne sa chemise en coton.

   RÉPONSE : .... RÉPONSE : ....

7. Un gramme de cet antidote fera l'affaire.

   RÉPONSE : .... RÉPONSE : ....

8. Le quatuor de chanteurs se produira à la tombola du mois prochain.

   RÉPONSE : .... RÉPONSE : ....

9. Il a loué un palace entouré de lilas.

   RÉPONSE : .... RÉPONSE : ....

10. Marc s'intéresse à la zoologie, plus précisément aux poissons (notamment au barracuda).

   RÉPONSE : .... RÉPONSE : ....

POUR EN SAVOIR PLUS, CONSULTER LES TABLEAUX ▸ **ANGLAIS (EMPRUNTS À L')** ▸ **ARABE (EMPRUNTS À L')** ▸ **GREC (EMPRUNTS AU)** ▸ **ITALIEN (EMPRUNTS À L')** ▸ **LATIN (EMPRUNTS AU)** AU *MULTIDICTIONNAIRE* OU DANS *LA NOUVELLE GRAMMAIRE EN TABLEAUX*.

EXERCICE 9

Accentuer le texte suivant en mettant, s'il y a lieu, les accents qui conviennent.

1. Il s'est plie aveuglement aux reglements du comite.
2. C'est un bon eleve, meme s'il interrompt sans arret l'enseignant.
3. Ne trouvant rien a repondre, elle garda le silence.
4. Le furet est un petit animal fluet et effile.
5. Elle a tue la mouche qui s'etait posee sur son beret.
6. Faire revenir les cepes dans une cuillere d'huile avant de les ajouter aux crepes.
7. Meme si les tenebres les enveloppaient, le campeur a reussi à mater l'animal feroce.
8. Son aveuglement et sa gene ne le meneront nulle part.
9. Au dernier chapitre, le roi acquiesça enfin a la demande de la regente.
10. L'interprete a dit une betise en traduisant les propos du savant sur les genes.

RAPPEL

Un accent est un signe orthographique qui coiffe une voyelle pour la définir. Il y a l'accent aigu (´), l'accent grave (`) et l'accent circonflexe (^). Certains prétendent que l'accent est inutile. Pas si sûr !

« Un ego n'a pas d'accent sur le *e*. Ce serait un pléonasme. Car il est dans la nature même de l'ego de mettre constamment l'accent sur lui. »

Les mots de ma vie, Bernard Pivot, Albin Michel.

POUR EN SAVOIR PLUS, CONSULTER LES TABLEAUX ▸**ACCENTS** ▸**ACCENTS PIÈGES** ▸**RECTIFICATIONS ORTHOGRAPHIQUES** AU *MULTIDICTIONNAIRE* OU DANS *LA NOUVELLE GRAMMAIRE EN TABLEAUX*.

RAPPEL

Pour bien conjuguer un verbe, il faut d'abord connaître les modes (indicatif, subjonctif, impératif…), les temps (présent, passé, futur…), sans oublier les règles d'accord du verbe.

« J'en mourirai —
N'est pas français »

En relisant ta lettre,
Serge Gainsbourg.

EXERCICE 10

Conjuguer les verbes selon les consignes données entre crochets.

1. Il [**suffire** – indicatif – passé composé] d'un mot pour que sa bonne humeur revienne. **RÉPONSE :** ....
2. Les granules [**se dissoudre** – indicatif – présent] lentement dans cette boisson. **RÉPONSE :** ....
3. Vous [**acquérir** – indicatif – futur] de l'expérience valable en acceptant cette tâche. **RÉPONSE :** ....
4. Comment veux-tu que je [**prédire** – subjonctif – présent] l'issue de cette histoire ? **RÉPONSE :** ....
5. Il faudrait que nous [**vaincre** – subjonctif – présent] notre peur devant ce défi. **RÉPONSE :** ....
6. Ce mauvais coup [**rompre** – indicatif – passé simple] l'équilibre de notre union. **RÉPONSE :** ....
7. J'aurais voulu que nous [**naître** – subjonctif – présent] dans la même ville. **RÉPONSE :** ....
8. Nous [**extraire** – indicatif – futur] les données pertinentes de ce rapport. **RÉPONSE :** ....
9. On me dit que je [**mouvoir** – indicatif – futur] plus facilement mon bras après cet exercice. **RÉPONSE :** ....
10. Depuis hier, je [**mouvoir** – indicatif – présent] effectivement mon bras plus facilement. **RÉPONSE :** ....

POUR EN SAVOIR PLUS, CONSULTER LES VERBES MENTIONNÉS AU *MULTIDICTIONNAIRE* ET LES TABLEAUX ▸ **FUTUR** ▸ **INDICATIF** ▸ **PASSÉ (TEMPS DU)** ▸ **PRÉSENT** ▸ **SUBJONCTIF** ▸ **VERBE** AU *MULTIDICTIONNAIRE* OU DANS *LA NOUVELLE GRAMMAIRE EN TABLEAUX*.

EXERCICE **11**

Le son « anse » peut se transcrire de bien des façons : *-ance, -ans, -anse, -ence, -ense,* etc. Compléter les mots suivants, dont la finale correspond au son « anse ».

1. Une longue barbe pend sur sa p............, qu'il a vraiment imm............
2. Florence est du signe de la Bal............ ; est-ce le secret de sa pati............ ?
3. Il est responsable de la mainten............ d'un bâtiment situé rue Jeanne-M............
4. Sans moyens de subsist............, il connaît maintenant l'itinér............
5. Elle surveille les gras tr............ avec const............ dans son alimentation.
6. Il manifeste ses sentiments avec une telle exubér............ qu'on le croirait presque en tr............
7. Il a répondu avec impud............, mais quelle import............ !
8. Certaines alli............ politiques sont parfois le fait d'une veng............
9. Il a reçu un prix d'excell............ pour son étude sur la mouv............ de ce nouveau groupe.
10. Les g............ dorées de son uniforme ajoutent encore à sa prest............

RAPPEL

Sont homophones des mots (*ver, vert, verre*...), des lettres (*o, au*...) ou des syllabes (*oie, oi*...) qui ont la même prononciation, sans avoir le même sens ou la même orthographe.

POUR EN SAVOIR PLUS, CONSULTER LE TABLEAU ▸ **HOMONYMES** AU *MULTIDICTIONNAIRE* OU DANS *LA NOUVELLE GRAMMAIRE EN TABLEAUX.*

RAPPEL

Un anglicisme est un mot, une expression, une construction, une orthographe ou un sens propre à la langue anglaise utilisés en français.

EXERCICE 12

Compléter les phrases à l'aide des mots suivants :

► ***attention à la peinture*** ► ***avis de cessation d'emploi*** ► ***chambre de bain*** ► ***charger*** ► ***démarrage-secours*** ► ***en force*** ► ***rupture de contrat*** ► ***tournant*** ► ***trouvé coupable*** ► ***versatile***

1. Le .... (équivalent français de l'anglicisme *boosting) est une opération permettant le démarrage d'une voiture au moyen d'une batterie d'appoint et de câbles volants.
2. *............................ est un calque de *bathroom*.
3. L'adjectif *............................ est un anglicisme au sens de « polyvalent » (pour une personne), « universel » (pour un objet).
4. L'expression *demander (un prix)* ou le verbe *facturer* remplacent très bien l'anglicisme *............................
5. Sur une affiche, *peinture fraîche est un calque de *wet paint*, dont l'équivalent est « .... ».
6. *Avis de séparation est un anglicisme au sens de « .... ».
7. On dit qu'il y a eu .... (et non l'anglicisme *bris de contrat) lorsque les obligations des parties n'ont pas été respectées.
8. L'expression *............................ est un calque de *in force* au sens de « en vigueur ».
9. L'expression *moment décisif* ou le nom .... peuvent remplacer le calque *point tournant.
10. L'expression *.. est un calque à remplacer par *reconnu*, *déclaré coupable*.

POUR EN SAVOIR PLUS, CONSULTER LE TABLEAU ► **ANGLICISMES** AU *MULTIDICTIONNAIRE* OU DANS *LA NOUVELLE GRAMMAIRE EN TABLEAUX.*

EXERCICE 13

Entourer le mot entre crochets qui est bien orthographié.

1. Le filou a profané le [sarcofage/sarcophage] du pharaon et a filé en [felouque/phelouque].
2. On appelle [*fylactères/phylactères*] les bulles qui renferment les dialogues dans les bandes dessinées.
3. Les Français appellent [*moufles/mouffles*] ce que nous appelons *mitaines.*
4. En souvenir, il a rapporté d'Afrique un bibelot en [faïence/phaïence] représentant un [facochère/phacochère].
5. La foule s'[esclafa/esclaffa] devant le comédien qui n'arrêtait pas de [baffouiller/bafouiller].
6. L'[affasie/aphasie] est un trouble du langage qui, s'il peut [dificilement/difficilement] être guéri, peut s'atténuer avec le temps.
7. Le vent souffle en [rafales/raffales], il vaut mieux s'[emmitoufler/emmitouffler].
8. Une forte odeur de [soufre/souffre] s'échappe du [rafiot/raffiot].
9. L'artiste [rafistole/raffistole] des objets en [raffia/raphia].
10. Souffrir d'[acoufènes/acouphènes] est bien [afligeant/affligeant].

RAPPEL

L'orthographe est la manière d'écrire un mot. C'est à force d'écrire et de lire qu'on acquiert une bonne orthographe. Mais il arrive que la mémoire flanche…

« C'est ma faute
C'est ma faute
C'est ma très grande faute
d'orthographe
voilà comment j'écris
Giraffe. »

Jacques Prévert.

POUR EN SAVOIR PLUS, CONSULTER LES MOTS MENTIONNÉS AU *MULTIDICTIONNAIRE* OU DANS UN DICTIONNAIRE DE LANGUE.

RAPPEL

On a beau dire qu'un mot s'écrit comme il se prononce, ce n'est pas toujours le cas. De même, on pourrait dire d'un mot qu'il se prononce comme il s'écrit, mais cela demande quelquefois un peu d'attention.

EXERCICE 14

Lire les phrases suivantes à voix haute, puis cocher la bonne réponse.

1. La deuxième syllabe du mot *magnat* se prononce « gna ».
   VRAI .... FAUX ....

2. La première syllabe du mot *œdème* se prononce « é ».
   VRAI .... FAUX ....

3. Les lettres *geô* du nom *geôle* se prononcent séparément.
   VRAI .... FAUX ....

4. La troisième syllabe du nom *rhododendron* se prononce « din ».
   VRAI .... FAUX ....

5. La lettre *t* du mot *antienne* se prononce comme un « s ».
   VRAI .... FAUX ....

6. La dernière syllabe de la locution *ex æquo* se prononce « co ».
   VRAI .... FAUX ....

7. Après la préposition *selon* (comme dans *selon eux*), la liaison ne se fait pas. VRAI .... FAUX ....

8. La première syllabe du mot *dessus* se prononce « dè ».
   VRAI .... FAUX ....

9. La première syllabe du verbe *enorgueillir* se prononce « èn ».
   VRAI .... FAUX ....

10. La lettre *o* du mot *clone* se prononce comme le *o* du mot *cône*.
    VRAI .... FAUX ....

POUR EN SAVOIR PLUS, CONSULTER LES MOTS MENTIONNÉS AU *MULTIDICTIONNAIRE*.

EXERCICE **15**

Écrire *le*, *la* ou *l'*, selon le cas.

1. .... hélice de l'avion s'est soudainement arrêtée.
2. .... hirondelle et .... héron sont illustrés dans l'ouvrage.
3. .... hérisson et .... hanneton vivent-ils en harmonie ?
4. C'est .... hasard qui les a réunis.
5. .... harde de caribous fonçait sur le photographe.
6. .... héros et .... héroïne de ce récit ont enflammé la foule.
7. .... haltérophile dépose ses haltères dans .... hayon de sa voiture.
8. Il fume son cigare préféré, ... havane, dans .... hamac d'une petite pension cubaine.
9. .... hamster n'en finit plus de courir dans sa roue.
10. L'avocat a demandé .... huis clos.

RAPPEL

L'élision est le remplacement d'une voyelle finale par une apostrophe ('). Les mots qui commencent par un *h* commandent ou non l'élision selon que le *h* est muet (*l'huissier*) ou aspiré (*le handicapé*).

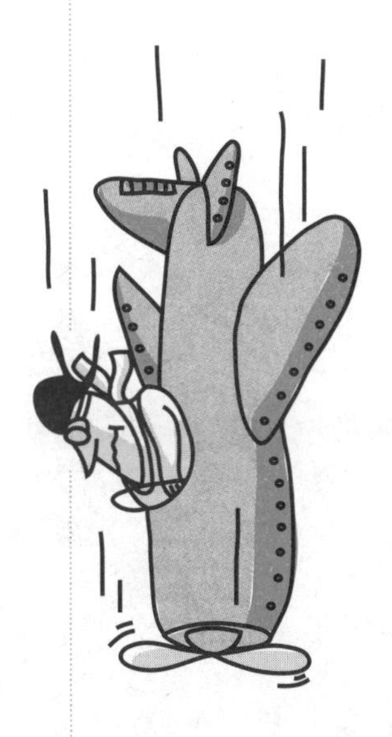

POUR EN SAVOIR PLUS, CONSULTER LES TABLEAUX ▸ **APOSTROPHE** ▸ **ÉLISION** ▸ **H MUET ET H ASPIRÉ** AU *MULTIDICTIONNAIRE* OU DANS *LA NOUVELLE GRAMMAIRE EN TABLEAUX*.

RAPPEL

Les proverbes, les paroles célèbres et les locutions figées sont souvent employés dans les conversations, mais ils sont souvent mal rapportés, ce qui risque même parfois d'en fausser le sens.

« L'horreur est humaine. »

Coluche

EXERCICE 16

Rectifier les mots mal employés dans chacun des proverbes suivants.

1. Il y a loin de la coupe aux verres.

   RÉPONSE : ....

2. Qui a bu rira.

   RÉPONSE : ....

3. Chat échaudé craint l'eau chaude.

   RÉPONSE : ....

4. De deux maux, il faut choisir le pire.

   RÉPONSE : ....

5. Plaie d'argent n'est pas cruelle.

   RÉPONSE : ....

6. Comme on fait son lit on se lève.

   RÉPONSE : ....

7. Un clou chasse le marteau.

   RÉPONSE : ....

8. Faute de grives, on mange des hirondelles.

   RÉPONSE : ....

9. À cœur vaillant rien d'éternel.

   RÉPONSE : ....

10. Les mauvais ouvriers ont toujours de bons outils.

    RÉPONSE : ....

POUR EN SAVOIR PLUS, CONSULTER LE *MULTIDICTIONNAIRE* OU UN DICTIONNAIRE DE LANGUE.

EXERCICE 17

Entourer le mot entre crochets qui est bien orthographié.

1. La forêt nous fournit de l'[oxigène/oxygène] grâce à la [chlorophyle/chlorophylle] et à l'action du soleil.
2. Il [camoufle/camouffle] bien ses secrets : c'est un vrai [sphinx/sphynx].
3. C'est le [dioxyde/dyoxyde] de [carbone/carbonne] contenu dans la bouteille qui fait gicler le cola lorsqu'on secoue le contenant.
4. Les [artichauds/artichauts] sont-ils vraiment [aphrodisiaques/aphrodysiaques] ?
5. Son exposé sur l'[acériculture/acerriculture] lui a valu un article [dithyrambique/dythirambique].
6. On attribue au [lyns/lynx] une grande [acuité/acuitée] visuelle.
7. Son [apétit/appétit] est tout simplement [pantagruélique/pantagruellique].
8. [Asthme/Asme] et [enphysemne/emphysème] sont des affections très courantes dans cette famille.
9. Sa serre regorge de [chrisanthèmes/chrysanthèmes] et d'[amarillis/amaryllis].
10. Le [ver/vers] à soie est la larve du [bombix/bombyx].

RAPPEL

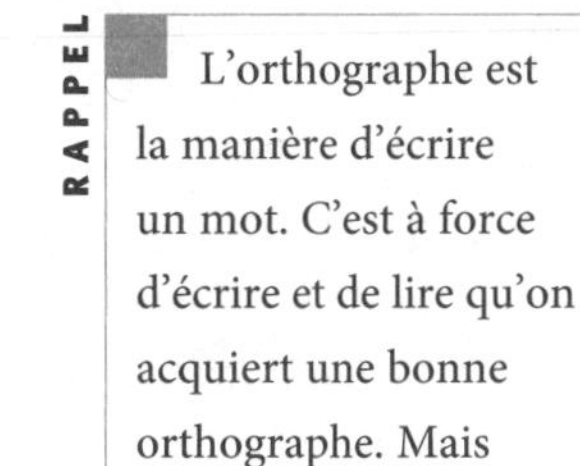

L'orthographe est la manière d'écrire un mot. C'est à force d'écrire et de lire qu'on acquiert une bonne orthographe. Mais il arrive que la mémoire flanche…

« Alphonse Allais, au restaurant, étudie la carte. Le garçon arrive pour prendre la commande.

"Pour commencer, je prendrai une faute d'orthographe.

– Pardonnez-moi, monseur, il n'y en a pas.

– Alors, pourquoi dans ce cas les mettez-vous sur le menu ?" »

Au bonheur des mots, Claude Gagnière.

POUR EN SAVOIR PLUS, CONSULTER LES MOTS MENTIONNÉS AU *MULTIDICTIONNAIRE* OU DANS UN DICTIONNAIRE DE LANGUE.

RAPPEL

Le suffixe d'origine grecque *-mètre*, qui signifie « mesure », entre dans la formation de nombreux mots.

EXERCICE 18

Compléter les phrases suivantes à l'aide des mots proposés dans la liste ci-dessous.

► ***altimètre*** ► ***audiomètre*** ► ***baromètre***
► ***chronomètre*** ► ***glucomètre*** ► ***hydromètre***
► ***hygromètre*** ► ***manomètre*** ► ***odomètre*** ► ***podomètre***

1. L'instrument qui mesure la pression atmosphérique et, de ce fait, le temps qui se prépare est ....

2. L'appareil qui sert à compter le nombre de pas effectués par un marcheur pour lui permettre d'évaluer la distance parcourue est ....

3. L'appareil servant à mesurer l'altitude est ....

4. L'appareil qui mesure la distance parcourue est ....

5. L'appareil servant à mesurer la pression d'un fluide est ....

6. L'appareil servant à la mesure de l'acuité auditive, du seuil d'audition est ....

7. L'instrument précis servant à mesurer le temps est ....

8. L'appareil qui mesure le degré d'humidité de l'air est ....

9. L'instrument qui mesurer la densité, la pression des liquides est ....

10. Le petit appareil qui sert à vérifier le taux de glucose sanguin à domicile est ....

POUR EN SAVOIR PLUS, CONSULTER LES MOTS MENTIONNÉS AU *MULTIDICTIONNAIRE* OU DANS UN DICTIONNAIRE DE LANGUE.

EXERCICE 19

Le son « ui » peut se transcrire de bien des façons : *-ui, -uis, -uie, uient, -uit, -uits,* etc. Compléter les mots suivants dont la finale correspond au son « ui ».

1. Le restaurateur d'œuvres d'art a complètement éliminé la s............... qui recouvrait le tableau.
2. Supportez-vous le br....................... des voitures au moment des courses au circ............... Gilles-Villeneuve ?
3. « Une voisine affolée vint frapper à mon h............... », chante Brassens dans *L'Orage*.
4. Le poulet est trop c..............., quel enn............... !
5. Le cultivateur a détr............... l'auge contaminée où se nourrissaient les tr...............
6. Sors ton parapl.............. de son ét.............., c'est l'orage !
7. Ce prod.............. contient du millepert..............
8. La tombée de la n.............. a n.............. aux recherches.
9. Les chauves-souris f.............. la lumière.
10. On dit de l.............. que c'est un p.............. de science.

RAPPEL

Sont homophones des mots (*ver, vert, verre*...), des lettres (*o, au*...) ou des syllabes (*oie, oi*...) qui ont la même prononciation, sans avoir le même sens ou la même orthographe.

RAPPEL

De nombreuses expressions sont formées avec le mot *mise*.

EXERCICE 20

Compléter les phrases suivantes à l'aide des mots de la liste qui suit.

▸ ***boîte*** ▸ ***circulation*** ▸ ***demeure*** ▸ ***pages*** ▸ ***pied***
▸ ***plis*** ▸ ***point*** ▸ ***prix*** ▸ ***scène*** ▸ ***veilleuse***

1. Étant donné la conjoncture économique, le projet a été reporté : c'est une mise en .... pour le moment.
2. À l'encan, la mise à .... de ce tableau a été de 3 000 $.
3. On a dû procéder à des mises à .... ; de nombreux employés ont malheureusement perdu leur emploi.
4. La mise en .... du nouveau billet de 50 $ en polymère s'est faite le 26 mars 2012.
5. L'organisation du jeu des acteurs à la scène, au cinéma, etc., est la mise en ....
6. Elle a été victime d'une mise en .... ; jamais elle n'a suspecté la supercherie.
7. Chez le coiffeur, l'expression « mise en .... » a de plus en plus un petit air démodé.
8. Le livre sera imprimé sous peu puisque nous en sommes maintenant à l'étape de la mise en ....
9. Rares sont ceux qui se réjouissent à la réception d'une mise en .... !
10. Dès la mise au .... du moteur, le coureur reprendra le volant.

POUR EN SAVOIR PLUS, CONSULTER LES MOTS MENTIONNÉS AU *MULTIDICTIONNAIRE* OU DANS UN DICTIONNAIRE DE LANGUE.

EXERCICE 21

Entourer le mot entre crochets qui est bien orthographié.

1. À cause de l'[inondation/innondation], nous avons subi une perte [irémédiable/irrémédiable].
2. Son parrain, en l'[occurence/occurrence] son cousin Georges, [assurera/assurrera] sa subsistance.
3. Le navire viking, le [drakar/drakkar], est représenté dans l'[ilustration/illustration] de couverture.
4. Déposer le poulet [pané/panné] dans la [casserole/casserolle].
5. Dans ce décor [surané/suranné], les souvenirs [resurgissent/ressurgissent].
6. Son costume tout [fripé/frippé] le rendait [irascible/irrascible].
7. Rien ne me plaît tant que de déguster une [citronade/citronnade] sous un [parasol/parrasol].
8. Le [ballotement/ballottement] du [voilier/voillier] a rendu certains touristes malades.
9. Le [paravent/parravent] abritait le [manequin/mannequin] en train de se vêtir.
10. Son voisin de [palier/pallier] lui [susurra/sussurra] des mots doux.

RAPPEL

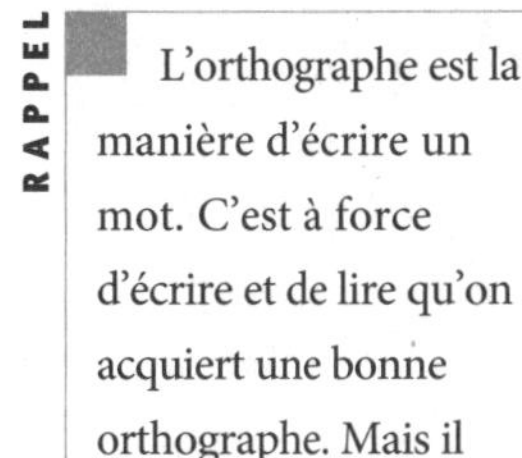

L'orthographe est la manière d'écrire un mot. C'est à force d'écrire et de lire qu'on acquiert une bonne orthographe. Mais il arrive que la mémoire flanche… souvent en ce qui concerne les consonnes doubles.

RAPPEL

Un anglicisme est un mot, une expression, une construction, une orthographe ou un sens propre à la langue anglaise utilisés en français. Les anglicismes sont partout, notamment dans le domaine des affaires.

« Le B (bi) to B (bi) or not to be
Le top 50, le hit-parade
Tout l'inculture du modern style
Le packaging et les remakes
Les royalties, le piercing
C'est un scoop, c'est un score
Le trekking, le training
Booker et tour operator
Je suis Français moi monsieur »

Vos papiers, Edgar Bori.

EXERCICE 22

Entourer et corriger l'anglicisme contenu dans chacune des phrases suivantes.

1. La réceptionniste doit décommander la réunion qui a été cédulée pour ce matin. RÉPONSE : ....
2. Ce sont les bénéfices marginaux qui incitent Jean à garder son emploi. RÉPONSE : ....
3. En panne d'inspiration, le rédacteur remplit le panier (à papier) des mutiples brouillons de son rapport.

   RÉPONSE : ....
4. Il a donné sa notice sur un coup de tête.

   RÉPONSE : ....
5. L'infirmière fera du surtemps à cause du grand nombre de blessés. RÉPONSE : ....
6. Fraîchement diplômé, Gaston a appliqué pour un poste de relationniste. RÉPONSE : ....
7. Le gardien, qui assure aussi la maintenance, viendra nettoyer l'entrepôt. RÉPONSE : ....
8. Son bureau est situé au deuxième plancher de l'immeuble.

   RÉPONSE : ....
9. Mireille a trouvé une nouvelle position : elle est devenue préposée aux malades. RÉPONSE : ....
10. La direction a pris les mesures nécessaires pour éviter la duplication du travail. RÉPONSE : ....

POUR EN SAVOIR PLUS, CONSULTER LE TABLEAU ▸ **ANGLICISMES** AU *MULTIDICTIONNAIRE* OU DANS *LA NOUVELLE GRAMMAIRE EN TABLEAUX.*

EXERCICE 23

Répondre aux questions suivantes se rapportant aux rectifications orthographiques.

1. Le trait d'union lie tous les éléments dans les numéraux composés supérieurs à *cent* seulement. **VRAI** .... **FAUX** ....
2. Dans les mots composés formés avec *contr(e)-*, *entr(e)-*, *extra-*, *infra-*, *intra-*, *ultra-* ou avec des éléments « savants », le trait d'union ou l'apostrophe est supprimé et ces mots sont soudés.
VRAI .... **FAUX** ....
3. Les mots composés empruntés à d'autres langues s'écrivent en un seul mot, mais pas les onomatopées. **VRAI** .... **FAUX** ....
4. Dans le cas du pluriel des noms composés du type verbe + nom (*brise-glace*) et préposition + nom (*avant-midi*), le nom prend la marque du pluriel seulement si le nom composé est au pluriel.
VRAI .... **FAUX** ....
5. Les *Rectification orthographiques* ont été mises en vigueur le 6 décembre 1990 et sont obligatoires, au Québec, depuis le 1er janvier 2005. **VRAI** .... **FAUX** ....
6. Les mots empruntés à d'autres langues suivent la règle du singulier et du pluriel, mais ne prennent pas les accents français.
VRAI .... **FAUX** ....
7. Les verbes en *-eler* et en *-eter* (sauf *appeler*, *jeter* et leurs dérivés) se conjuguent sur le modèle de *peler* ou de *acheter* : ils ne doublent pas le *l* ou le *t*, mais s'écrivent avec un *è*.
VRAI .... **FAUX** ....
8. Le tréma se place sur la voyelle qui doit être prononcée, indiquant qu'elle doit être prononcée séparément de la voyelle qui la suit ou qui la précède.
VRAI .... **FAUX** ....
9. Parmi les mots suivants, cocher ceux qui ont été touchés par les R. O.

❑ août
❑ arc-en-ciel
❑ gageure
❑ mille-pattes
❑ paraître
❑ pare-avalanche
❑ peut-être
❑ pharmacie
❑ tequila
❑ touche-à-tout

10. Indiquer de quelle façon les mots qui suivent sont touchés par les R. O.
cachotterie **PEUT S'ÉCRIRE** ....
flûtiste **PEUT S'ÉCRIRE** ....
affût **PEUT S'ÉCRIRE** ....
a fortiori **PEUT S'ÉCRIRE** ....
grommellement **PEUT S'ÉCRIRE** ....
asseoir **PEUT S'ÉCRIRE** ....
ballottement **PEUT S'ÉCRIRE** ....

POUR EN SAVOIR PLUS, CONSULTER LE TABLEAU ▸ **RECTIFICATIONS ORTHOGRAPHIQUES** AU *MULTIDICTIONNAIRE* OU DANS *LA NOUVELLE GRAMMAIRE EN TABLEAUX*.

RAPPEL

Les *Rectifications orthographiques* (R. O.) touchent un peu plus de 2000 mots du vocabulaire actuel, mais aussi et surtout l'écriture des nouveaux mots, tout particulièrement dans les domaines technique et scientifique.

« Une véritable codification de l'orthographe commence à partir du XVIe siècle. Éclate alors un débat qui se poursuit encore aujourd'hui, opposant les partisans d'une orthographe miroir de la parole dont il faudrait éliminer toutes les lettres superflues et les tenants de l'usage, qui mettent en avant la nécessité de marquer l'origine, les dérivations et de distinguer les homonymes. L'évolution de l'orthographe française s'est toujours faite en préservant l'équilibre entre ces deux tendances. »

Si la langue française m'était contée, Magali Favre, Fides.

RAPPEL

Un verbe à l'infinitif est un verbe qui n'est pas conjugué. L'infinitif exprime une idée d'action ou d'état sans indication de personne ni de nombre. Ainsi, *peux*, *pourrai*, *pouvait*, etc., sont des formes conjuguées de l'infinitif *pouvoir*.

EXERCICE 24

Donner l'infinitif des verbes conjugués soulignés.

1. S'ils faillent à leurs tâches, nous sévirons.

   RÉPONSE : ....

2. Je ne crois pas qu'il faille s'offusquer de son refus.

   RÉPONSE : ....

3. Le juge examinera ces documents qui ressortissent au dossier de la pollution. RÉPONSE : ....

4. J'ai hâte qu'elle se départe de ses airs supérieurs.

   RÉPONSE : ....

5. J'ai été folle de refuser cet emploi. RÉPONSE : ....

6. Elle fond de l'or pour créer des bijoux.

   RÉPONSE : ....

7. Sylvie a eu raison de persévérer. RÉPONSE : ....

8. Le maire fut le premier à le féliciter.

   RÉPONSE : ....

9. Elle fonde son opinion sur des documents historiques.

   RÉPONSE : ....

10. Il faudrait rénover cette maison, mais je ne crois pas que cela en vaille la peine. RÉPONSE : ....

POUR EN SAVOIR PLUS, CONSULTER LE TABLEAU ▸ **INFINITIF** AU *MULTIDICTIONNAIRE* OU DANS *LA NOUVELLE GRAMMAIRE EN TABLEAUX.*

EXERCICE 25

Le son « o » peut se transcrire de bien des façons :
***-au, -aud, -aux, -eau, -oc, -op, -os, –ot,* etc.**
Compléter les mots suivants dont la finale correspond au son « o ».

RAPPEL

Sont homophones des mots (*ver, vert, verre*...), des lettres (*o, au*...) ou des syllabes (*oie, oi*...) qui ont la même prononciation, sans avoir le même sens ou la même orthographe.

1. Le vétérinaire a aussit....... posé un garr....... au chevr....... pour arrêter l'hémorragie.
2. L'encl....... de pierre a été repeint à la ch.......
3. Le matel....... a vu un cachal....... par le hubl.......
4. C'est le jour du Souvenir : bien des bad....... portent l'insigne du coquelic.......
5. Certains produisent un sir....... à partir de la sève de boul.......
6. Le client est monté sur ses erg....... devant le gig....... presque calciné.
7. Le fin....... allait s'emparer des bijoux quand, soudain, Fido découvrit ses cr....... : brave chien !
8. Le transport en carg....... est gratuit, mais pour le reste des dépenses, chacun doit payer son éc.......
9. Il est complètement accr....... aux jeux vidé.......
10. Un peu pen......., Marc s'est fait l'éch....... des plaintes de ses collègues.

POUR EN SAVOIR PLUS, CONSULTER LE TABLEAU ▸ **HOMONYMES** AU *MULTIDICTIONNAIRE* OU DANS *LA NOUVELLE GRAMMAIRE EN TABLEAUX*.

RAPPEL

Le suffixe d'origine grecque *-logie*, qui signifie « science, étude », entre dans la formation de nombreux mots.

EXERCICE **26**

Compléter les phrases suivantes à l'aide des mots proposés dans la liste ci-dessous.

▸ ***entomologie*** ▸ ***erpétologie*** ▸ ***ethnologie***
▸ ***gemmologie*** ▸ ***graphologie*** ▸ ***philologie***
▸ ***théologie*** ▸ ***toxicologie*** ▸ ***vexillologie***

1. L'étude des reptiles est ....
2. La science des pierres fines est ....
3. La science des rapports linguistiques, sociaux, économiques des ethnies est ....
4. La science qui étudie les oiseaux est ....
5. La science qui étudie l'écriture d'une personne est ....
6. La partie de la zoologie qui étudie les insectes est ....
7. L'étude scientifique d'une langue par l'analyse critique des textes est ....
8. La science qui a pour objet les questions religieuses est ....
9. L'étude des drapeaux est ....
10. La science qui étudie les poisons est ....

POUR EN SAVOIR PLUS, CONSULTER LES MOTS MENTIONNÉS AU *MULTIDICTIONNAIRE*.

EXERCICE 27

Entourer la version correcte parmi celles qui sont proposées entre crochets.

1. Il mange en glouton : à peine commencé, son repas est [aussi tôt/aussitôt] avalé.
2. Étant donné la frousse qu'il a eue, le voleur ne devrait pas revenir de [si tôt/sitôt].
3. Revenez-nous [bien tôt/bientôt], après la pause publicitaire, dit l'animateur.
4. La fête commence à peine, pourquoi partir [si tôt/sitôt] ?
5. Il est [bien tôt/bientôt] pour annoncer le succès de cette entreprise.
6. [Aussi tôt/Aussitôt] après son arrivée, la fête a commencé.
7. J'ai hâte de le voir, son avion atterrira-t-il [bien tôt/bientôt] ?
8. Ils veulent être sur place à l'aube : ça me semble [bien tôt/bientôt] comme heure d'arrivée…
9. Elle est arrivée [aussi tôt/aussitôt] que les premiers invités.
10. Il sera [bien tôt/bientôt] 6 heures.

RAPPEL

Il faut distinguer les adverbes *sitôt*, *bientôt*, *plutôt* et *aussitôt*, qui s'écrivent en un mot, et les locutions *si tôt*, *bien tôt*, *plus tôt* et *aussi tôt*, qui s'écrivent en deux mots.

RAPPEL

Pour bien conjuguer un verbe, il faut d'abord connaître les modes (indicatif, subjonctif, impératif...), les temps (présent, passé, futur...), sans oublier les règles d'accord du verbe.

« Au temps de mes grands-mères, la décence exigeait que l'on mouchât les chandelles, que l'on soufflât les bougies, et que l'on éteindasse les lampes à pétrole, bien que je me demande si *éteindre* fait bien *éteindasse* à l'imparfait du subjonctif. »

Manuel de savoir-vivre, Pierre Desproges, Seuil.

EXERCICE 28

Conjuguer les verbes selon les consignes données entre crochets.

1. Il [**valoir** – conditionnel – présent] mieux que tu arrives tôt.
2. Les voisins [**se dessaisir** – indicatif – présent] de leurs livres à cause de leur départ à l'étranger.
3. Ne crains-tu pas que ton attitude [**décevoir** – subjonctif – présent] ton entourage ?
4. Je [**conclure** – indicatif – futur] mon exposé par de brefs remerciements.
5. Il faut que l'eau [**bouillir** – subjonctif – présent] pendant 20 minutes avant de s'en servir pour nettoyer la blessure.
6. Depuis l'inondation de l'an dernier, nous [**craindre** – indicatif – imparfait] le même dégât cette année ; mais cela nous a été épargné.
7. Les profits [**se répartir** – indicatif – présent] en trois parts égales.
8. [**contredire** – impératif – présent]-moi si je me trompe, je vous en serai reconnaissant.
9. L'accusé ne [**se départir** – indicatif – imparfait] jamais de son calme, même sous les pires insultes.
10. Le gardien exigeait que nous [**éteindre** – subjonctif – imparfait] les lampes avant 22 heures.

POUR EN SAVOIR PLUS, CONSULTER LES VERBES MENTIONNÉS AU *MULTIDICTIONNAIRE* ET LES TABLEAUX ▸ **FUTUR** ▸ **IMPÉRATIF** ▸ **INDICATIF** ▸ **PASSÉ (TEMPS DU)** ▸ **PRÉSENT** ▸ **SUBJONCTIF** ▸ **VERBE** AU *MULTIDICTIONNAIRE* OU DANS *LA NOUVELLE GRAMMAIRE EN TABLEAUX*.

EXERCICE 29

Le son « é » peut se transcrire de bien des façons : *-ai, -é, -ée, -ef, -er, -ey, -ez,* etc. Compléter les mots suivants dont la finale correspond au son « é ».

1. – Viendr.......-vous dîn....... ce soir ?

   – Non, je manger....... plutôt ch....... moi.
2. Un pon....... est une monture appropri....... pour les enfants.
3. Elle s'est trouv....... mal et a saign....... du n.......
4. Elle a égar....... la cl....... de son attach.......-case.
5. Ass....... discut......., ma décision est arrêt....... !
6. Habit.......-vous au r.......-de-chauss....... ?
7. Il faudrait consult....... la banque de donn....... de l'universit.......
8. Le cuisini....... a prépar....... un chutn....... très épic.......
9. Oy....... ! clamaient les camelots de jadis.
10. Je viendr....... ce soir si vous le voul....... bien.

RAPPEL

Sont homophones des mots (*ver, vert, verre...*), des lettres (*o, au...*) ou des syllabes (*oie, oi...*) qui ont la même prononciation, sans avoir le même sens ou la même orthographe.

POUR EN SAVOIR PLUS, CONSULTER LE TABLEAU ▸ **HOMONYMES** AU *MULTIDICTIONNAIRE* OU DANS *LA NOUVELLE GRAMMAIRE EN TABLEAUX.*

RAPPEL

Un anglicisme est un mot, une expression, une construction, une orthographe ou un sens propre à la langue anglaise utilisés en français. Les anglicismes sont partout, notamment dans le domaine de la télévision.

EXERCICE 30

Entourer et corriger l'anglicisme contenu dans chacune des phrases suivantes.

1. Le film est encore interrompu par un commercial !

   RÉPONSE : ....

2. Je ne veux pas manquer *Mad Men*, quel bon programme !

   RÉPONSE : ....

3. Le téléroman utilise la technique du flash-back pour nous faire connaître les motivations du justicier.

   RÉPONSE : ....

4. Ce soir, on passe le thriller *Raccrochez, c'est une erreur* à la télé.

   RÉPONSE : ....

5. Elle n'a plus le temps d'aller travailler depuis qu'elle suit toutes les continuités à la télévision. **RÉPONSE :** ....

6. Le commanditaire a acheté un spot publicitaire.

   RÉPONSE : ....

7. L'émission est enregistrée devant une audience de 200 personnes. **RÉPONSE :** ....

8. La projection du film sera interrompue par une intermission de 15 minutes. **RÉPONSE :** ....

9. L'humoriste a présenté son numéro live.

   RÉPONSE : ....

10. Le documentaire a été interrompu pour la diffusion d'un flash.

    RÉPONSE : ....

POUR EN SAVOIR PLUS, CONSULTER LE TABLEAU ▸**ANGLICISMES** AU *MULTIDICTIONNAIRE* OU DANS *LA NOUVELLE GRAMMAIRE EN TABLEAUX.*

EXERCICE 31

Dans cette liste de 60 mots, 25 sont masculins, 33 sont féminins et 2 ont les deux genres. Cocher les bonnes réponses.

accolade	M... F...	énigme	M... F...
acné	M... F...	épitaphe	M... F...
acrostiche	M... F...	exemple	M... F...
agrume	M... F...	extrême	M... F...
alarme	M... F...	guimauve	M... F...
alvéole	M... F...	haltère	M... F...
amalgame	M... F...	hélice	M... F...
anagramme	M... F...	horloge	M... F...
anicroche	M... F...	interface	M... F...
antichambre	M... F...	lignite	M... F...
antidote	M... F...	moustiquaire	M... F...
appendice	M... F...	nacre	M... F...
après-midi	M... F...	oasis	M... F...
armistice	M... F...	octave	M... F...
asphalte	M... F...	omoplate	M... F...
astérisque	M... F...	once	M... F...
atmosphère	M... F...	orbite	M... F...
automne	M... F...	orchestre	M... F...
automobile	M... F...	oreille	M... F...
autoroute	M... F...	orifice	M... F...
cantaloup	M... F...	orthographe	M... F...
cèpe	M... F...	ovule	M... F...
cuticule	M... F...	pétale	M... F...
dinde	M... F...	pétoncle	M... F...
ébène	M... F...	pleurote	M... F...
échappatoire	M... F...	stratosphère	M... F...
écritoire	M... F...	tentacule	M... F...
effluve	M... F...	ulcère	M... F...
effusion	M... F...	urticaire	M... F...
éloge	M... F...	vidéo	M... F...

RAPPEL

Le genre des mots est l'une des grandes difficultés de la langue. Spontanément, on a tendance à croire qu'il existe une relation entre le genre du mot et le sexe de l'être désigné. Cela n'est vrai que pour les êtres humains, les êtres mythologiques et certains animaux.

« En latin, il y avait trois genres : le féminin, le masculin et le neutre. Avec le français, le neutre disparaît, et les mots qui étaient neutres en latin deviennent masculins. Ce qui explique qu'en français l'expression du neutre se fasse au masculin et qu'ainsi lorsqu'il y a deux sujets, l'un au féminin et l'autre au masculin, le masculin englobe le féminin. »

Si la langue française m'était contée, Magali Favre, Fides.

POUR EN SAVOIR PLUS, CONSULTER LE TABLEAU ▸ **GENRE** AU *MULTIDICTIONNAIRE* OU DANS *LA NOUVELLE GRAMMAIRE EN TABLEAUX.*

RAPPEL

Un pléonasme est une répétition inutile de mots qui ont le même sens (*monter en haut, descendre en bas*...).

EXERCICE 32

Chaque phrase qui suit contient un ou deux pléonasmes. Dans chaque cas, rayer le ou les mots inutiles.

1. Si seulement une panacée universelle existait, tous les chercheurs seraient prêts à collaborer ensemble.
2. L'animateur n'a pu placer un mot : son invité, visiblement atteint de logorrhée verbale, a accaparé le micro pendant toute l'interview.
3. Ce pharaon égyptien qui illustre la couverture du guide touristique, est-ce Ramsès II ?
4. Pour expliquer son retard, il a inventé un faux prétexte.
5. Nous verrons plus tard si le récit de l'agression s'avère vrai ; pour le moment, il est urgent de stopper l'hémorragie de sang de la victime.
6. Tout est réglé : nous nous sommes entraidés mutuellement et la situation est revenue à la normale.
7. La blondeur des dunes de sable du Sahara est gravée à tout jamais dans ma mémoire.
8. Les bourrasques de vent ont été telles que la rencontre a été ajournée à plus tard.
9. Ces produits transformés sont presque tous exportés à l'étranger.
10. La production québécoise de cidre de pommes est de plus en plus recherchée.

POUR EN SAVOIR PLUS, CONSULTER LES MOTS MENTIONNÉS AU *MULTIDICTIONNAIRE*.

EXERCICE 33

Donner le pluriel des noms.

1. Les noms terminés au singulier par *-al* font *-aux* au pluriel, à part quelques exceptions qui suivent la règle générale.

un récital	des	un festival	des ....
un bal	des	un journal	des ....
un carnaval	des	un minéral	des ....
un fanal	des	un narval	des ....

2. Les noms terminés au singulier par *-eau*, *-au*, *-eu* font *-eaux*, *-aux*, *-eux* au pluriel, à part quelques exceptions qui suivent la règle générale.

un roseau	des	un feu	des ....
un bleu	des	un landau	des ....
un boyau	des	un pneu	des ....
un émeu	des	un sarrau	des ....

3. Les noms terminés au singulier par *-ail* font *-ails* au pluriel, selon la règle générale, à part quelques exceptions qui font *-aux*.

un ail	des	un émail	des ....
un bail	des	un rail	des ....
un corail	des	un soupirail	des ....
un détail	des	un vitrail	des ....

4. Les noms terminés au singulier par *-ou* font *-ous* au pluriel, selon la règle générale, à part quelques exceptions qui font *-oux*.

un bijou	des	un écrou	des ....
un bisou	des	un fou	des ....
un caillou	des	un genou	des ....
un chou	des	un hibou	des ....
un clou	des	un pou	des ....

5. Les noms composés, qui s'écrivent avec un ou des traits d'union (*taille-crayon*), sans trait d'union (*hôtel de ville*) ou en un seul mot (*contremaître*), présentent quelques difficultés de pluriel.

un arc-en-ciel	des ....
une arrière-pensée	des ....
un chauffe-eau	des ....
un chef-d'œuvre	des ....
un garde-chasse	des ....
un savoir-faire	des ....

POUR EN SAVOIR PLUS, CONSULTER LES TABLEAUX ▸ **PLURIEL DES NOMS** ▸ **RECTIFICATIONS ORTHOGRAPHIQUES** AU *MULTIDICTIONNAIRE* OU DANS *LA NOUVELLE GRAMMAIRE EN TABLEAUX.*

RAPPEL

Le pluriel se forme généralement en ajoutant un *s* à la forme du singulier. C'est le cas le plus simple, mais il existe aussi d'autres règles données dans les exercices ci-contre. Quant aux noms empruntés à d'autres langues, ils prennent généralement la marque française du pluriel (*des agendas, des graffitis, des leitmotivs, des médias, des spaghettis*).

« Il y a des gens pour vous prononcer, le petit doigt en l'air, *des scenarii*, en détachant bien les deux *i*, ce qui exige un certain double sursaut de la glotte assez peu compatible avec la phonie française. Je regrette : *un scénario, des scénarios*. Ce rital est désormais bien de chez nous. Enfin, quoi, pourquoi pas, aussi, *des piani, des concerti*... ? *Un macarono* ? *Un spaghetto* ? »

Mignonne, allons voir si la rose, François Cavanna, Belfond.

RAPPEL

Une locution figée est un groupe de mots toujours employés ensemble qui a un sens global différent des sens de chacun des mots qui la composent.

« Un père et un fils se promènent dans un verger.

"Papa, qu'est-ce que c'est que ces fruits ?

— Ce sont des prunes noires.

— Mais papa, elles sont roses !

— Elles sont roses parce qu'elles sont encore vertes..." »

Le Tour du monde du rire, Pierre Daninos.

EXERCICE 34

Ajouter l'adjectif de couleur manquant pour compléter la locution figée.

1. Changer des euros contre des billets ....
2. L'or .... est la seule richesse de certains pays, mais quelle richesse !
3. Elles sont fleur .... et aiment les films à l'eau de rose.
4. Le spectateur n'osa répliquer aux blagues de l'humoriste à son endroit : il se contenta de rire ....
5. Ces tâches inhumaines l'ont saigné à ....
6. L'avocate s'est emportée devant le témoin au récit cousu de fil ....
7. Faire travailler sa matière .... protège-t-il du vieillissement ?
8. Il se plaît à agiter le chiffon .... à la moindre occasion : c'est un polémiste-né.
9. En avez-vous déjà vu, des petits hommes .... ?
10. Le gaspillage, c'est sa bête .... ; il se consacre à la simplicité volontaire.

POUR EN SAVOIR PLUS, CONSULTER LES MOTS MENTIONNÉS AU *MULTIDICTIONNAIRE* ET LE TABLEAU ▸ **LOCUTIONS FIGÉES** AU *MULTIDICTIONNAIRE* OU DANS *LA NOUVELLE GRAMMAIRE EN TABLEAUX*.

EXERCICE 35

Le son « or » peut se transcrire de bien des façons : *-aur*, *-aure*, *-or*, *-ore*, *-orps*, *-ors*, *-ort*, etc. Compléter les mots suivants dont la finale correspond au son « or ».

RAPPEL

Sont homophones des mots (*ver*, *vert*, *verre*...), des lettres (*o*, *au*...) ou des syllabes (*oie*, *oi*...) qui ont la même prononciation, sans avoir le même sens ou la même orthographe.

1. Le mauvais s....... s'acharne sur lui, sa santé se détéri....... très vite.
2. La durée de vie de l'alligat....... est généralement de 50 ans.
3. Dans son f....... intérieur, il sait f....... bien que ce raisonnement est plutôt ret.......
4. Au Maroc, elle est allée au bain m..........., qu'on appelle « hammam ».
5. À qui est attribué ce mot historique : *Tout est perdu, f....... l'honneur*?
6. Je n'ai jamais mangé de hareng fumé, aussi appelé « hareng s....... ».
7. Cette lotion pour le c....... referme tous les p....... de la peau.
8. F....... heureusement, le cri de la mandrag....... n'existe que dans les histoires de Harry Potter.
9. Le tyrannos....... était un carniv....... mesurant jusqu'à 15 mètres de long.
10. Je me demande si le cent....... de la mythologie pouvait prendre le m....... aux dents !

POUR EN SAVOIR PLUS, CONSULTER LE TABLEAU ▸ **HOMONYMES** AU *MULTIDICTIONNAIRE* OU DANS *LA NOUVELLE GRAMMAIRE EN TABLEAUX*.

RAPPEL

Un anglicisme est un mot, une expression, une construction, une orthographe ou un sens propre à la langue anglaise utilisés en français. Les anglicismes sont partout, notamment dans le domaine des affaires.

EXERCICE 36

Entourer et corriger l'anglicisme contenu dans chacune des phrases suivantes.

1. Le client a réglé sa facture avec un chèque sans fonds.

   RÉPONSE : ....

2. Le contracteur s'est enrichi en acceptant des pots-de-vin sur tous les travaux.

   RÉPONSE : ....

3. Le comptable a rendu son travail avec une semaine de délai.

   RÉPONSE : ....

4. Le car wash a été relocalisé sur un terrain plus grand.

   RÉPONSE : ....

5. Vic travaille à la branche de Toronto.

   RÉPONSE : ....

6. Ces données sont précieuses : il faut sauver ce fichier sans tarder.

   RÉPONSE : ....

7. Il faut demander une cotation pour les travaux à faire au sous-sol.

   RÉPONSE : ....

8. L'entreprise en est à sa première année d'opération.

   RÉPONSE : ....

9. Le patron a réuni son brain-trust pour trouver une solution.

   RÉPONSE : ....

10. L'acheteur place une commande au fournisseur.

    RÉPONSE : ....

POUR EN SAVOIR PLUS, CONSULTER LE TABLEAU ▸ **ANGLICISMES** AU *MULTIDICTIONNAIRE* OU DANS *LA NOUVELLE GRAMMAIRE EN TABLEAUX.*

EXERCICE 37

Entourer le mot entre crochets qui est bien orthographié.

1. La riposte a [exacerbé/exhacerbé] sa colère ; il était complètement [exaspéré/exhaspéré].
2. Ce n'est qu'après la mort de ce savant que ses mérites ont été [exaltés/exhaltés].
3. Elle se plaît à [exhiber/exiber] ses bijoux achetés à des prix [exhorbitants/exorbitants].
4. Dans son discours, il [exhortait/exortait] son adversaire à cesser son [charabia/charabiah].
5. La proximité de ce jardin fleuri nous procure des [exalaisons/exhalaisons] odorantes.
6. C'est un [philanthrope/philantrope] : il [abhorre/aborre] les profits matériels.
7. Il faudra [exausser/exhausser] cet immeuble d'un étage.
8. Dans les années folles, l'[exhubérant/exubérant] Dali s'adonnait à l'[absinte/absinthe], très en vogue à l'époque.
9. L'[héliothrope/héliotrope] est une plante qui doit son nom au fait que ses fleurs se tournent vers le soleil.
10. Il faut d'urgence prendre un rendez-vous en [ophtalmologie/ophthalmologie].

RAPPEL

La lettre *h* nous donne parfois du fil à retordre lorsqu'il s'agit d'écrire certains mots. On se demande : y a-t-il un *h*, et si oui, où est-il placé ?

POUR EN SAVOIR PLUS, CONSULTER LES MOTS MENTIONNÉS AU *MULTIDICTIONNAIRE*.

RAPPEL

Le suffixe d'origine grecque *-scope*, qui signifie « examiner, observer », entre dans la formation de nombreux mots.

EXERCICE 38

Compléter les phrases suivantes à l'aide des mots proposés dans la liste ci-dessous.

▸ ***aéroscope*** ▸ ***caméscope*** ▸ ***endoscope***
▸ ***kaléidoscope*** ▸ ***magnétoscope*** ▸ ***microscope***
▸ ***négatoscope*** ▸ ***périscope*** ▸ ***stéthoscope*** ▸ ***télescope***

1. L'appareil d'enregistrement et de reproduction des images et du son utilisant des bandes magnétiques est ....
2. L'instrument d'optique permettant de grossir les objets très petits est ....
3. L'instrument médical qui permet d'écouter à l'intérieur du corps (le cœur, les poumons, etc.) est ....
4. L'instrument d'optique qui sert à l'observation des astres est

   ....
5. L'appareil optique permettant à l'équipage d'un sous-marin en plongée de voir à la surface de la mer est

   ....
6. La caméra vidéo portative avec magnétoscope est

   ....
7. L'appareil de mesure de la proportion de poussières dans l'air est

   ....
8. Le cylindre que l'on fait tourner et dans lequel des morceaux mobiles de verre de diverses couleurs composent des images symétriques et variées à l'aide d'un jeu de miroirs est

   ....
9. L'instrument d'optique muni d'un éclairage et qui est destiné à l'examen des cavités internes du corps ou d'un conduit du corps à des fins diagnostiques ou thérapeutiques est

   ....
10. L'écran lumineux qui sert à l'examen des radiographies est

   ....

POUR EN SAVOIR PLUS, CONSULTER LES MOTS MENTIONNÉS AU *MULTIDICTIONNAIRE* OU DANS UN DICTIONNAIRE DE LANGUE.

EXERCICE 39

Entourer le mot entre crochets qui est bien orthographié.

1. Ce peuple, [opprimé/oprimé] mais [valeureux/valleureux], a maintenant acquis sa liberté.
2. Pour nous [abriter/abritter], nous n'avons trouvé qu'une horrible [baraque/barraque].
3. La [girole/girolle] est un champignon [comestible/commestible].
4. La [balistique/ballistique] est la science des mouvements des [projectiles/projectilles].
5. Faire une [balade/ballade], c'est se promener ; on peut toujours en profiter pour chanter une [balade/ballade].
6. Le 14 février, il a reçu un colis bien [ficelé/ficellé] qui contenait une boîte de chocolats [enrubanée/enrubannée] de velours.
7. [Cassonade/cassonnade] et [canelle/cannelle] ont été ajoutées avant de fermer la [papillote/papillotte].
8. Cesse de faire le [mariole/mariolle], tu [affoles/affolles] tout le monde avec tes simagrées !
9. C'est une vraie tête de [linotte/linnotte] qui [s'enflame/s'enflamme] pour un oui pour un non.
10. Ces profits sont [illicites/ilicites], dit l'inspecteur d'un ton [irité/irrité].

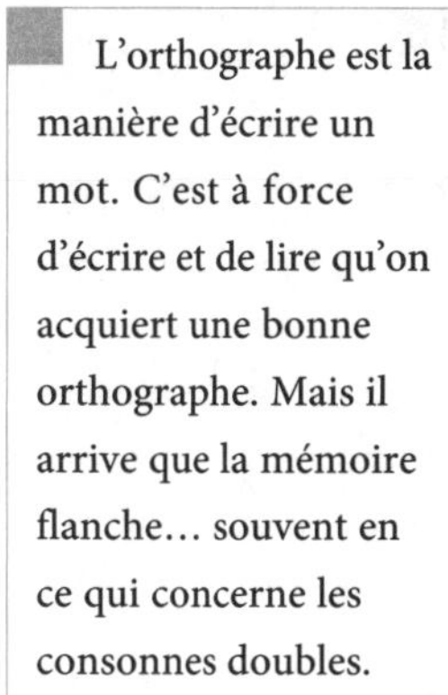
RAPPEL

L'orthographe est la manière d'écrire un mot. C'est à force d'écrire et de lire qu'on acquiert une bonne orthographe. Mais il arrive que la mémoire flanche… souvent en ce qui concerne les consonnes doubles.

POUR EN SAVOIR PLUS, CONSULTER LES MOTS MENTIONNÉS AU *MULTIDICTIONNAIRE*.

RAPPEL

Une locution figée est un groupe de mots toujours employés ensemble qui a un sens global différent des sens de chacun des mots qui la composent.

« Un tel décrétera qu'il mène une vie de chien, sans se rendre compte que cette expression n'avait un sens qu'à l'époque où les chiens tiraient des charrettes et des voiturettes. »

Les Secrets de la langue française, André Dulière, Guérin littérature.

EXERCICE **40**

Dans chacune des locutions figées soulignées, un mot est incorrect. Corriger ce mot pour rendre tout son sens à l'expression.

1. Aujourd'hui il se pavane, fier comme d'Artagnan, mais attention à la chute !

   RÉPONSE : ....

2. On peut dire qu'elle a fait touche avec son nouveau produit : les clients affluent.

   RÉPONSE : ....

3. Depuis qu'il est champion d'orthographe, il nous fait la dragée haute.

   RÉPONSE : ....

4. C'est la troisième fois que mon client me paie avec un chèque sans provision : j'ai l'impression d'être le dindon de la place.

   RÉPONSE : ....

5. Le mode d'emploi est concis, mais clair comme de l'eau de fontaine.

   RÉPONSE : ....

6. Les produits de cette confiserie sont à la portée de toutes les bouches.

   RÉPONSE : ....

7. Sa voix de ténor a apeuré les autres convives du restaurant.

   RÉPONSE : ....

8. Après un mois au soleil, il se tient comme un charme.

   RÉPONSE : ....

9. Ne le laisse pas te payer en monnaie de dinde : exige des documents officiels.

   RÉPONSE : ....

10. Le directeur s'absentera quelques jours ; c'est son adjoint qui veillera au pain pendant ce temps.

    RÉPONSE : ....

POUR EN SAVOIR PLUS, CONSULTER LE TABLEAU ▸ **LOCUTIONS FIGÉES** AU *MULTIDICTIONNAIRE* OU DANS *LA NOUVELLE GRAMMAIRE EN TABLEAUX.*

EXERCICE **41**

Le son « è » peut se transcrire de bien des façons : *-ai, -ais, -ait, -aix, -et, -ets,* etc. Compléter les mots suivants dont la finale correspond au son « è ».

1. Le décr....... est tombé comme un couper.......

2. C'est un fin gourm......., il apprécie le magr....... de canard.

3. Le touriste a enlevé son bér....... à l'entrée du pal.......

4. Cléopâtre prit le portef....... sur le f.......

5. Les minar....... sont les tours des mosquées où prient les musulmans.

6. Le concierge passe le bal....... sur la scène avant l'arrivée des danseurs de ball.......

7. C'est grâce aux coussin....... qu'il a sous les pattes que le chat se déplace sans faire de bruit.

8. Un m......., un civ....... je crois, nous a été servi sans dél.......

9. C'est un f....... : le subjonctif plus-que-parf....... est peu utilisé.

10. Le temps était frisqu....... et il pleuv....... à boire debout.

RAPPEL

Sont homophones des mots (*ver, vert, verre*...), des lettres (*o, au*...) ou des syllabes (*oie, oi*...) qui ont la même prononciation, sans avoir le même sens ou la même orthographe.

POUR EN SAVOIR PLUS, CONSULTER LE TABLEAU ▸ **HOMONYMES** AU *MULTIDICTIONNAIRE* OU DANS *LA NOUVELLE GRAMMAIRE EN TABLEAUX.*

RAPPEL

Un québécisme est un mot ou une expression propre au français en usage au Québec. Certains québécismes (qui sont souvent des archaïsmes) ont des équivalents dans la francophonie ; d'autres, qui traduisent une réalité québécoise, n'ont pas d'équivalents.

EXERCICE 42

Entourer le québécisme contenu dans chacune des phrases. Il ne s'agit pas de remplacer ces mots qui font partie de notre langue, mais il importe de pouvoir les reconnaître afin d'acquérir un vocabulaire nuancé.

1. Il y a eu affluence dans la boutique ce matin, ça n'a pas dérougi.
2. Il court la galipote sans vergogne et il se croit un grand séducteur !
3. Nous nous sommes réunis pour préparer une gibelotte tout en placotant.
4. Bruno, laisse ton petit frère tranquille ; cesse de l'achaler immédiatement !
5. Sa mère a abrié le bambin en le mettant au lit.
6. Il faudra s'habiller chaudement, c'est cru aujourd'hui.
7. La mauvaise humeur est son état habituel ; elle est marabout dès son lever.
8. Vingt heures ! Partons avant la noirceur !
9. Ne laisse pas les enfants faire des galipettes au bord de l'eau : c'est très creux ici.
10. Nous passerons quelques jours à pêcher dans une pourvoirie en mai.

POUR EN SAVOIR PLUS, CONSULTER LE TABLEAU ▸ **QUÉBÉCISME** AU *MULTIDICTIONNAIRE* OU DANS *LA NOUVELLE GRAMMAIRE EN TABLEAUX*.

EXERCICE 43

Entourer le mot entre crochets qui est bien orthographié.

1. C'est en [fabricant/fabriquant] des figurines que ce [fabricant/fabriquant] est devenu [millionaire/millionnaire].
2. Ce [met/mets] est délicieux, j'en prendrais [d'avantage/davantage].
3. Le [coin/coing] est un fruit très riche en fibres; la [mirabelle/mirrabelle] l'est un peu moins.
4. Une ampoule fluocompacte dure de six à dix fois plus [longtemp/longtemps] qu'une ampoule à [incandescence/incandessence].
5. Le meneur [s'époumone/s'époumonne] pour tenter [d'enterer/d'enterrer] la clameur des manifestants.
6. Un [acqueduc/aqueduc] est une [canalisation/canallisation] qui sert à transporter l'eau d'un lieu à un autre.
7. On [soupçonait/soupçonnait] un cancer, mais on a finalement découvert qu'il était atteint de [cirhose/cirrhose].
8. L'[emphysème/emphyssème] [pulmonaire/pulmonnaire] est une affection très courante dans cette famille.
9. Il est entré en [catamini/catimini] pour ne pas effrayer les [oisillions/oisillons].
10. Seul le divorce a mis fin aux [dissensions/dissentions] [familiales/familliales].

RAPPEL

L'orthographe est la manière d'écrire un mot. C'est à force d'écrire et de lire qu'on acquiert une bonne orthographe. Mais il arrive que la mémoire flanche…

« Elle avait peu d'avantages :
Pour en avoir davantage,
Elle s'en fit rajouter
À l'institut de beauté

…

"Davantage d'avantages,
Avantagent davantage"
Lui dis-je quand elle revint
Avec ses seins angevins. »

Framboise,
Boby Lapointe, Seghers.

RAPPEL

Le mode (indicatif ou subjonctif) de la proposition subordonnée dépend de la conjonction de subordination. Certaines conjonctions (*si*) ou locutions conjonctives (*même si*) sont toujours suivies de l'indicatif (*si j'ai tort, dis-le-moi*). D'autres locutions (*quoique*) ou locutions conjonctives (*bien que*) commandent le subjonctif (*bien que j'aie tort, dis-le-moi*).

EXERCICE 44

Conjuguer les verbes entre crochets au présent de l'indicatif ou du subjonctif, selon le cas.

1. Je voudrais bien que tu [faire] ce que je te dis.
   RÉPONSE : ....
2. Puisqu'il [être] tard, nous devons partir.
   RÉPONSE : ....
3. La comédienne répète son rôle jusqu'à ce qu'elle le [savoir] par cœur.
   RÉPONSE : ....
4. Tu seras en retard, à moins que tu ne [prendre] le prochain train.
   RÉPONSE : ....
5. En attendant que vous [être] prêt à partir, je vais vous préparer un goûter.
   RÉPONSE : ....
6. Afin que vous [pouvoir] lire le document à votre aise, installez-vous ici.
   RÉPONSE : ....
7. Lorsque vous [prendre] ce médicament, abstenez-vous de boire du lait.
   RÉPONSE : ....
8. La réussite n'est pas assurée, même si nous [faire] notre possible.
   RÉPONSE : ....
9. En admettant qu'il [faire] beau, la réception aura lieu dans le jardin.
   RÉPONSE : ....
10. Nous l'aiderons, dans la mesure où il le [vouloir] bien.
    RÉPONSE : ....

POUR EN SAVOIR PLUS, CONSULTER LES TABLEAUX ▸ **CONJONCTION DE COORDINATION** ▸ **CONJONCTION DE SUBORDINATION** ▸ **INDICATIF** ▸ **SUBJONCTIF** AU *MULTIDICTIONNAIRE* OU DANS *LA NOUVELLE GRAMMAIRE EN TABLEAUX*.

EXERCICE 45

Écrire *le*, *la* ou *l'*, selon le cas.

1. .... hongrois nous a donné le nom *hussard* (.... hussard était un cavalier dans l'armée hongroise).
2. .... hantise des sinistrés est de revivre .... horreur des inondations de l'année dernière.
3. Tous admirent .... hardiesse dont il a fait preuve en rattrapant .... hors-bord qui allait s'écraser sur les rochers.
4. Il a vendu .... hectare sur lequel se trouvait .... hangar bâti par son grand-père.
5. Selon .... horticulteur consulté, ... hibiscus dépasse rarement plus de 1,50 mètre dans nos maisons.
6. Pour Amina, ... huile et la sauce à .... harissa sont indispensables dans sa cuisine.
7. .... harassement l'a frappé après qu'il eut débité deux arbres à .... hache.
8. Au Moyen Âge, ... héraut avait comme fonction de faire les proclamations publiques.
9. Après avoir préparé .... hachis préféré de ses enfants, Maria se repose dans .... hamac de .... hacienda.
10. Certains le surnomment .... Hurluberlu à cause de ses idées ; d'autres l'appellent .... Héron à cause de son long cou.

RAPPEL

L'élision est le remplacement d'une voyelle finale par une apostrophe ('). Les mots qui commencent par un *h* commandent ou non l'élision selon que le *h* est muet (*l'histoire*) ou aspiré (*le harnais*).

« Oui, un *h* aspiré. Comment a-t-on pu inventer pareille appellation pour désigner le *h* placé en tête, par exemple du mot *hareng* ?

Si je me fie au dictionnaire de l'Académie française, *aspirer* signifie : "Attirer l'air extérieur dans ses poumons. Exemple : aspirer un bol d'air frais." Mais quand je dis *hareng*, je n'aspire pas, j'expire !

J'ai trouvé la clé de l'énigme dans les ouvrages du formidable Alain Rey. Au XVIIIe siècle, *aspirer* ne voulait dire que "respirer". Puis, on lui a donné le sens de "souffler". Et, en effet, pour dire *hareng*, je souffle. On parle alors de *h aspiré*, c'est-à-dire, en réalité, *soufflé*. Au XIXe siècle, les sens d'*aspirer* se réduiront. On ne retiendra plus que l'action d'attirer l'air dans ses poumons. Voilà pourquoi l'on parle d'un *h aspiré* quand il est, en fait, *expiré*. »

Les Fautes de français ? Plus jamais !, Julien Lepers.

POUR EN SAVOIR PLUS, CONSULTER LES TABLEAUX ▸ **APOSTROPHE** ▸ **ÉLISION** ▸ **H MUET ET H ASPIRÉ** AU *MULTIDICTIONNAIRE* OU DANS *LA NOUVELLE GRAMMAIRE EN TABLEAUX.*

RAPPEL

Un anglicisme est un mot, une expression, une construction, une orthographe ou un sens propre à la langue anglaise utilisés en français.

EXERCICE 46

Répondre aux questions suivantes.

1. Le verbe *antagoniser* a le même sens que le verbe anglais *to antagonize.* **VRAI** .... **FAUX** ....
2. Le verbe *apprécier* signifie, entre autres, « souhaiter » (comme dans la phrase *J'apprécierais vous rencontrer*). **VRAI** .... **FAUX** ....
3. Au sens de « robinet », le nom *valve* est un anglicisme. **VRAI** .... **FAUX** ....
4. Le nom *inventaire* s'emploie correctement pour signifier « marchandises en magasin ». **VRAI** .... **FAUX** ....
5. Le verbe *développer*, au sens de « traiter une pellicule photographique » est un anglicisme. **VRAI** .... **FAUX** ....
6. L'anglicisme *dropout* n'a pas d'équivalent connu en français. **VRAI** .... **FAUX** ....
7. La locution *année de calendrier* est un anglicisme. **VRAI** .... **FAUX** ....
8. Le nom *ouverture* a au moins trois sens : « état de ce qui est ouvert », « poste, débouché », « orifice ». **VRAI** .... **FAUX** ....
9. Pour qualifier un compte qui est échu, on peut dire qu'il est *passé dû.* **VRAI** .... **FAUX** ....
10. La locution latine *per capita* s'emploie en français pour signifier « par personne ». **VRAI** .... **FAUX** ....

POUR EN SAVOIR PLUS, CONSULTER LES MOTS MENTIONNÉS AU *MULTIDICTIONNAIRE* ET LE TABLEAU ▸ **ANGLICISMES** AU *MULTIDICTIONNAIRE* OU DANS *LA NOUVELLE GRAMMAIRE EN TABLEAUX*.

EXERCICE 47

Faire l'accord des adjectifs entre crochets.

1. Le golf est son activité [favori]. RÉPONSE : ....

2. Elle craignait que la tumeur ne soit [malin].

   RÉPONSE : ....

3. Peut-être devrions-nous recourir à une [tiers] personne.

   RÉPONSE : ....

4. En Espagne, il est complètement tombé sous le charme d'une danseuse [andalou].

   RÉPONSE : ....

5. Les machines à écrire sont complètement [caduc].

   RÉPONSE : ....

6. Elle resta [coi] devant la beauté de la Maison symphonique de Montréal, inaugurée le 7 septembre 2011.

   RÉPONSE : ....

7. Au Québec, on ne parle plus de sculpture [esquimau], mais de sculpture [inuit].

   RÉPONSE : ....

8. C'est une personne [replet], c'est-à-dire qu'elle est [grassouillet].

   RÉPONSE : ....

9. Elle fit taire ses pensées [vengeur], qui drainaient toutes ses énergies.

   RÉPONSE : ....

10. La courbe [traître] de la route a causé bien des dérapages.

    RÉPONSE : ....

RAPPEL

Le féminin des adjectifs se forme généralement par l'ajout d'un *e*, mais généralement ne veut pas dire tout le temps...

POUR EN SAVOIR PLUS, CONSULTER LE TABLEAU ▸ **PLURIEL ET FÉMININ DES ADJECTIFS** AU *MULTIDICTIONNAIRE* OU DANS *LA NOUVELLE GRAMMAIRE EN TABLEAUX.*

RAPPEL

Un verbe à l'infinitif est un verbe qui n'est pas conjugué. L'infinitif exprime une idée d'action ou d'état sans indication de personne ni de nombre. Ainsi, *peux*, *pourrai*, *pouvait*, etc., sont des formes conjuguées de l'infinitif *pouvoir*.

« Les gens ne savent plus choir !
Ils savent s'asseoir...
mais ils ne savent plus choir !
Ils s'imaginent que choir, c'est déchoir...
Choir n'est pas déchoir !
Un homme qui a chu n'est pas déchu...
à condition qu'il choie bien !
Comme disait mon père :
"Où que tu chois, chois bien !" »

Le savoir choir,
Raymond Devos.

EXERCICE 48

Donner l'infinitif des verbes conjugués soulignés.

1. Tout petit déjà, il résolvait des calculs mathématiques complexes. **RÉPONSE :** ....
2. Il existe encore de rares meuniers qui moulent leurs grains à l'ancienne.
   RÉPONSE : ....
3. Sa robe lui sied très bien.
   RÉPONSE : ....
4. La victime meut difficilement sa jambe blessée.
   RÉPONSE : ....
5. C'est un Néo-Zélandais, Edmund Hillary, qui conquit l'Everest la première fois le 29 mai 1953.
   RÉPONSE : ....
6. Le paiement écherra le 19 prochain.
   RÉPONSE : ....
7. Armstrong et Aldrin furent les premiers hommes à marcher sur la Lune, le 21 juillet 1969.
   RÉPONSE : ....
8. Tout est là, sers-toi je t'en prie.
   RÉPONSE : ....
9. Dans quelques années, ces billets vaudront cher.
   RÉPONSE : ....
10. Il faut que ces manifestations cessent.
    RÉPONSE : ....

POUR EN SAVOIR PLUS, CONSULTER LE TABLEAU ▸ **INFINITIF** AU *MULTIDICTIONNAIRE* OU DANS *LA NOUVELLE GRAMMAIRE EN TABLEAUX*.

EXERCICE 49

Le son « oi » peut se transcrire de bien des façons : *-oi, -oie, -ois, -oit, -oix,* etc. Compléter les mots suivants dont la finale correspond au son « oi ».

1. Malgré la mauvaise f....... du témoin, l'accusé reste sur son quant-à-s.......
2. Elle a appuyé toute seule la lourde cr....... de bois contre la par......., quel expl....... !
3. Il prév....... refaire le t....... du voisin hongr......., le cr.......-tu ?
4. Avec effr......., le pilote constate que la vitesse de l'appareil décr....... à un rythme affolant.
5. Le f....... gras d'....... est pour lui un mets de ch.......
6. Ne s....... pas rabat-j......., et reç....... ses excuses.
7. Ce chocolat vienn....... te donnera un surcr....... d'énergie.
8. S'ils étaient un tant s....... peu aimables, nous les inviterions une deuxième f.......
9. À mon grand désarr......., mon pékin....... ab....... beaucoup la nuit.
10. Les rares passants marchaient de guing......., luttant contre le sur....... qui s'était levé brusquement.

RAPPEL

Sont homophones des mots (*ver, vert, verre...*), des lettres (*o, au...*) ou des syllabes (*oie, oi...*) qui ont la même prononciation, sans avoir le même sens ou la même orthographe.

« J'ai une crise de fois !

Elle me dit :
De quel foie ?

Je lui dis :
Des deux fois... enfin, on n'a pas deux foies...

J'ai une crise de ce foie-ci... (il le désigne),

le foie que l'on peut palper, et puis de l'autre foi, l'impalpable ! J'ai mal aux deux mots à la fois.

J'ai mal à mon foie et à ma foi... »

À plus d'un titre, Raymond Devos.

POUR EN SAVOIR PLUS, CONSULTER LES TABLEAUX ▸ **HOMONYMES** ▸ **RECTIFICATIONS ORTHOGRAPHIQUES** AU *MULTIDICTIONNAIRE* OU DANS *LA NOUVELLE GRAMMAIRE EN TABLEAUX.*

RAPPEL

Certains des adjectifs ou des noms exprimant la périodicité et la durée sont très clairs (*mensuel*, *annuel*, *quotidien*), mais d'autres portent parfois à confusion (*bimensuel* et *bimestriel*, *décennie* et *décade*, etc.).

EXERCICE 50

Compléter les phrases suivantes en ajoutant la formule de périodicité qui correspond aux mots soulignés.

1. C'est un vrai pot de colle, elle vient chaque semaine, sa visite est ....
2. En France, avant l'an 2000, le président était élu pour un mandat d'une durée de sept ans, soit un ....
3. Une rencontre internationale de manifestations artistiques comme celle tenue tous les deux ans à Venise est une ....
4. Ce magazine paraît tous les deux mois, sa parution est donc ....
5. Au travail, Gaétan sera évalué tous les six mois, il subira donc une évaluation ....
6. Ce journal paraît tous les jours, c'est un ....
7. Il voit un thérapeute deux fois par mois : sa visite est donc ....
8. Le prix littéraire Gilles-Corbeil est décerné tous les trois ans, c'est un prix ....
9. Un plan d'une durée de cinq ans a été établi, c'est un plan ....
10. Les chênes vieux de plusieurs siècles de l'Abitibi sont impressionnants ; ces chênes sont ....

POUR EN SAVOIR PLUS, CONSULTER LE TABLEAU ▸ **PÉRIODICITÉ ET DURÉE** AU *MULTIDICTIONNAIRE* OU DANS *LA NOUVELLE GRAMMAIRE EN TABLEAUX*.

CORRIGÉ

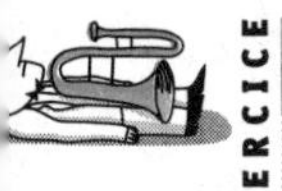

EXERCICE 1

CORRIGÉ

1. Le joueur de trombone a été victime d'une thrombose.
2. À la veille de l'examen, un étudiant a eu une poussée d'eczéma (les R. O. admettent exéma), et un autre a eu une poussée d'acné.
3. Un groupe d'oto-rhino-laryngologistes a été formé pour étudier la cause de ses hémorragies.
4. Ce thé a un goût de térébenthine et sent la charogne.
5. Le bouquet comprend, entre autres, des dahlias et des jacinthes.
6. L'otage a vécu un véritable martyre : son récit est pathétique.
7. Le plus jeune souffre d'une amygdalite, et l'aîné souffre d'une pharyngite.
8. Les manifestants ont lancé leur cri de ralliement en guise de remerciement.
9. Le charlatan soigne sa rubéole avec un mélange de rhubarbe et de rutabaga.
10. Faire quelque chose par acquit de conscience, c'est libérer sa conscience pour ne pas avoir de remords.

EXERCICE 2

CORRIGÉ

1. Le chinook a presque mis fin aux Jeux olympiques d'hiver de Calgary, en 1988.
   ► Le nom de vent *chinook* est un nom commun, qui ne prend donc pas de majuscule.
   ► Logiquement, le nom de cet événement doit s'écrire avec une majuscule et l'adjectif, avec une minuscule. Cependant, certains ouvrages écrivent : *jeux Olympiques, Jeux Olympiques.*
2. La lettre majuscule n'existe pas en arabe.
   ► Les noms de langues ne prennent pas la majuscule.
3. Le 2 février, c'est la Chandeleur ; tous surveillent si la marmotte sortira ou non ce jour-là.
   ► Les noms de fêtes s'écrivent avec une majuscule.
4. Des Grands Lacs d'Amérique, seul le lac Michigan se situe entièrement sur le territoire des États-Unis.
   ► Les lacs Supérieur, Érié, Huron, Ontario et Michigan forment les Grands Lacs, désignation qui prend la majuscule au mot principal ainsi qu'à l'adjectif qui le précède.
   ► Dans les noms géographiques, le nom générique (*lac*) s'écrit avec une minuscule; le nom spécifique (*Michigan, Supérieur,* etc.) s'écrit avec une majuscule.
5. La rencontre réunissait péquistes et libéraux.
   ► Les noms d'adeptes de partis politiques s'écrivent avec une minuscule.
6. Elle a accouché un dimanche, je crois.
   ► Les noms de jours ne prennent pas la majuscule.
7. L'état de santé du chef d'État fait la manchette.
   ► Au sens de « manière d'être », *état* est un nom commun et ne prend donc pas de majuscule; au sens de « entité politique », le nom prend toujours la majuscule.

8. Le Carnaval de Québec a lieu en janvier.
   ▸ Les dénominations de manifestations culturelles s'écrivent avec une majuscule au mot principal (ici, *carnaval*) ainsi, bien sûr, qu'aux noms propres qui en comportent normalement.
   ▸ Les noms de mois s'écrivent avec une minuscule.
9. J'habite 44, 3e Avenue, et non 44, avenue De Lorimier.
   ▸ Si l'avenue est désignée par un numéro, le mot *avenue* prend une majuscule.
   ▸ Les mots génériques des noms de voies de circulation ou odonymes (*avenue*) s'écrivent avec une minuscule et sont suivis du nom spécifique (*De Lorimier*), qui s'écrit avec une ou des majuscules.
10. Le film raconte la fin de la Seconde Guerre mondiale.
   ▸ Dans les désignations d'évènements historiques, le nom principal (*guerre*) prend la majuscule ainsi que l'adjectif qui le précède (*seconde*).

EXERCICE 3

CORRIGÉ

1. Le phare d'Alexandrie était l'une des sept merveilles du monde antique.
2. Je l'ai croisé par hasard le jour de son départ.
3. Vous recevrez un tiré à part de mon article demain au plus tard.
4. Le jars, mâle de l'oie, jargonne.
5. Depuis qu'il est devenu banlieusard, il mange du caviar !
6. Le balthasar de champagne équivaut à 16 bouteilles normales.
   ▸ On écrit aussi *balthazar*.
7. La devise du Venezuela est le bolivar ; celle de la Tunisie est le dinar.
8. Il dit avoir cuisiné un far breton à la perfection, mais il a toujours été un peu vantard.
9. *Tsar* était un titre porté par les souverains bulgares.
   ▸ On écrit aussi *tzar*.
10. Ce lascar a fait tout un tintamarre en quittant le bar.

EXERCICE 4

CORRIGÉ

1. Les questions de l'intervieweur sont truffées de digressions ; c'est très désagréable.
2. La catastrophe lui a coupé le souffle : sa peine est indicible.
3. L'ophtalmologue a modifié ma médication.
4. L'enfant souffre d'un strabisme heureusement corrigible.
5. Ces explications ne sont pas compréhensibles, proteste l'enquêteur.
6. Ce dictionnaire est épuisé, il va falloir qu'on le réimprime.
7. Ma connexion à Internet est boiteuse ; vite un technicien !
8. Son régime de vie est absolument déséquilibré.
9. Vous contredisez sans arrêt toutes mes assertions, ça suffit !
10. L'encolure de ta chemise est trop large.

EXERCICE 5

CORRIGÉ

1. Fido jappe en attendant sa pitance.
2. Cette mappemonde est tout à fait erronée.
3. Les questions concomitantes étant réglées, la malheureuse victime voyait enfin le bout du tunnel.
4. Son commerce est près de la faillite à cause de mauvaises transactions immobilières.
5. L'accolade donnée par l'avocat véreux à son client a mis tout le monde dans l'embarras.
6. Il énumère ses diplômes sans fanfaronner : c'est un modeste.
7. Les alvéoles de la ruche sont de petites cellules de cire que fait l'abeille.
8. La corolle désigne la partie de la fleur formée par l'ensemble de ses pétales, par opposition au calice.
9. Une éclipse solaire peut provoquer une brûlure oculaire.
10. Elle saisit son baluchon (ou balluchon) couleur rose saumoné.

EXERCICE 6

CORRIGÉ

1. Ajouter un avocat bien mûr dans la salade.
2. Arthur adore les tartines de beurre d'arachide.
3. J'ai oublié d'acheter de l'origan au marché.
4. Quel bonheur, on m'a offert une centrifugeuse.
5. Lisette travaille au casse-croûte cinq soirs par semaine.
6. Aimez-vous votre pain grillé ou nature ?
7. Un martini très sec, svp.
8. Aimeriez-vous une boisson chaude pour vous réchauffer ?
9. Nul besoin d'être musicien pour apprécier les crosses de fougère !
10. Cette préparation à gâteau demande l'ajout de trois œufs.

EXERCICE 7

CORRIGÉ

1. Quel plaisir inouï d'admirer une forêt de séquoias en Californie !
2. Il est resté stoïque en apprenant que son enfant avait besoin d'une greffe de moelle osseuse.
3. Des motifs de caïman ornent son kaléidoscope.
4. Son geste héroïque fait presque oublier son comportement égoïste habituel.
5. Dans cette biographie, l'auteure raconte que son aïeule *acquiesçait* à toutes les demandes de son fils préféré.
6. Les mots *apothicaire* et *peignure* sont des archaïsmes.
7. Une petite boîte de maïs en conserve contient 2 g de protéines.

8. Elle l'accuse du vol de son assiette en faïence, mais ce ne sont que des ouï-dire.
9. Après une heure passée à gratter la neige verglacée et les glaçons sur sa voiture, il a maintenant les mains couvertes de gerçures.
10. Ses amis l'ont délaissé, il avait un tempérament de caïd et s'immisçait sans scrupule dans leur vie.

EXERCICE 8

CORRIGÉ

1. *Amphibien* et *batracien* proviennent du grec.
2. *Jarre* et *sirop* proviennent de l'arabe.
3. *Sorbet* et *lime* proviennent de l'arabe.
4. *Artichaut* provient de l'arabe et *brocoli* provient de l'italien.
5. *Incognito* et *farniente* proviennent de l'italien.
6. *Antilope* provient de l'anglais et *coton* provient de l'arabe.
7. *Gramme* et *antidote* proviennent du grec.
8. *Quatuor* provient du latin et *tombola* provient de l'italien.
9. *Palace* provient de l'anglais et *lilas* provient de l'arabe.
10. *Zoologie* provient du grec et *barracuda* provient de l'anglais.

EXERCICE 9

CORRIGÉ

1. Il s'est plié aveuglément aux règlements du comité.
2. C'est un bon élève, même s'il interrompt sans arrêt l'enseignant.
3. Ne trouvant rien à répondre, elle garda le silence.
4. Le furet est un petit animal fluet et effilé.
5. Elle a tué la mouche qui s'était posée sur son béret.
6. Faire revenir les cèpes dans une cuillerée d'huile avant de les ajouter aux crêpes.
   ▸ On écrit aussi *cuillérée.*
7. Même si les ténèbres les enveloppaient, le campeur a réussi à mater l'animal féroce.
8. Son aveuglement et sa gêne ne le mèneront nulle part.
9. Au dernier chapitre, le roi acquiesça enfin à la demande de la régente.
10. L'interprète a dit une bêtise en traduisant les propos du savant sur les gènes.

EXERCICE 10

CORRIGÉ

1. Il a suffi d'un mot pour que sa bonne humeur revienne.
2. Les granules se dissolvent lentement dans cette boisson.
3. Vous acquerrez de l'expérience valable en acceptant cette tâche.
4. Comment veux-tu que je prédise l'issue de cette histoire ?

5. Il faudrait que nous **vainquions** notre peur devant ce défi.
6. Ce mauvais coup **rompit** l'équilibre de notre union.
7. J'aurais voulu que nous **naissions** dans la même ville.
8. Nous **extrairons** les données pertinentes de ce rapport.
9. On me dit que je **mouvrai** plus facilement mon bras après cet exercice.
10. Depuis hier, je **meus** effectivement mon bras plus facilement.

EXERCICE 11

CORRIGÉ

1. Une longue barbe pend sur sa **panse**, qu'il a vraiment **immense**.
2. Florence est du signe de la **Balance** ; est-ce le secret de sa **patience** ?
3. Il est responsable de la **maintenance** d'un bâtiment situé rue Jeanne-**Mance**.
4. Sans moyens de **subsistance**, il connaît maintenant l'**itinérance**.
5. Elle surveille les gras **trans** avec **constance** dans son alimentation.
6. Il manifeste ses sentiments avec une telle **exubérance** qu'on le croirait presque en **transe**.
7. Il a répondu avec **impudence**, mais quelle **importance** !
8. Certaines **alliances** politiques sont parfois le fait d'une **vengeance**.
9. Il a reçu un prix d'**excellence** pour son étude sur la **mouvance** de ce nouveau groupe.
10. Les **ganses** dorées de son uniforme ajoutent encore à sa **prestance**.

EXERCICE 12

CORRIGÉ

1. Le **démarrage-secours** (équivalent français de l'anglicisme *boosting) est une opération permettant le démarrage d'une voiture au moyen d'une batterie d'appoint et de câbles volants.
2. ***Chambre de bain** est un calque de *bathroom*.
3. L'adjectif ***versatile** est un anglicisme au sens de « polyvalent » (pour une personne), « universel » (pour un objet).
4. L'expression *demander (un prix)* ou le verbe *facturer* remplacent très bien l'anglicisme ***charger**.
5. Sur une affiche, *peinture fraîche est un calque de *wet paint*, dont l'équivalent est ***attention à la peinture***.
6. *Avis de séparation est un anglicisme au sens de « **avis de cessation d'emploi** ».
7. On dit qu'il y a eu **rupture de contrat** (et non l'anglicisme *bris de contrat) lorsque les obligations des parties n'ont pas été respectées.
8. L'expression ***en force** est un calque de *in force* au sens de « en vigueur ».
9. L'expression *moment décisif* ou le nom ***tournant*** peuvent remplacer le calque *point tournant.
10. L'expression ***trouvé coupable** est un calque à remplacer par *reconnu, déclaré coupable*.

EXERCICE 13 CORRIGÉ

1. Le filou a profané le sarcophage du pharaon et a filé en felouque.
2. On appelle *phylactères* les bulles qui renferment les dialogues dans les bandes dessinées.
3. Les Français appellent *moufles* ce que nous appelons *mitaines*.
4. En souvenir, il a rapporté d'Afrique un bibelot en faïence représentant un phacochère.
5. La foule s'esclaffa devant le comédien qui n'arrêtait pas de bafouiller.
6. L'aphasie est un trouble du langage qui, s'il peut difficilement être guéri, peut s'atténuer avec le temps.
7. Le vent souffle en rafales, il vaut mieux s'emmitoufler.
8. Une forte odeur de soufre s'échappe du rafiot.
9. L'artiste rafistole des objets en raphia.
10. Souffrir d'acouphènes est bien affligeant.

EXERCICE 14 CORRIGÉ

1. Vrai. La deuxième syllabe du mot *magnat* se prononce « gna » ou « g/na ».
2. Vrai.
3. Faux.
4. Vrai.
5. Vrai.
6. Vrai.
7. Vrai.
8. Faux. La première syllabe du mot *dessus* se prononce « de ».
9. Faux. La première syllabe du verbe *enorgueillir* se prononce « en ».
10. Vrai.

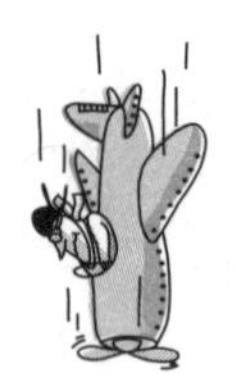

EXERCICE 15 CORRIGÉ

1. L'hélice de l'avion s'est soudainement arrêtée.
2. L'hirondelle et le héron sont illustrés dans l'ouvrage.
3. Le hérisson et le hanneton vivent-ils en harmonie ?
4. C'est le hasard qui les a réunis.
5. La harde de caribous fonçait sur le photographe.
6. Le héros et l'héroïne de ce récit ont enflammé la foule.
7. L'haltérophile dépose ses haltères dans le hayon de sa voiture.
8. Il fume son cigare préféré, le havane, dans le hamac d'une petite pension cubaine.
9. Le hamster n'en finit plus de courir dans sa roue.
10. L'avocat a demandé le huis clos.

EXERCICE 16

CORRIGÉ

1. Il y a loin de la coupe aux lèvres.
2. Qui a bu boira.
3. Chat échaudé craint l'eau froide.
4. De deux maux, il faut choisir le moindre.
5. Plaie d'argent n'est pas mortelle.
6. Comme on fait son lit on se couche.
7. Un clou chasse l'autre.
8. Faute de grives, on mange des merles.
9. À cœur vaillant rien d'impossible.
10. Les mauvais ouvriers ont toujours de mauvais outils.

EXERCICE 17

CORRIGÉ

1. La forêt nous fournit de l'oxygène grâce à la chlorophylle et à l'action du soleil.
2. Il camoufle bien ses secrets : c'est un vrai sphynx.
3. C'est le dioxyde de carbone contenu dans la bouteille qui fait gicler le cola lorsqu'on secoue le contenant.
4. Les artichauts sont-ils vraiment aphrodisiaques ?
5. Son exposé sur l'acériculture lui a valu un article dithyrambique.
6. On attribue au lynx une grande acuité visuelle.
7. Son appétit est tout simplement pantagruélique.
8. Asthme et emphysème sont des affections très courantes dans cette famille.
9. Sa serre regorge de chrysanthèmes et d'amaryllis.
10. Le ver à soie est la larve du bombyx.

EXERCICE 18

CORRIGÉ

1. L'instrument qui mesure la pression atmosphérique et, de ce fait, le temps qui se prépare, est un baromètre.
2. L'appareil qui sert à compter le nombre de pas effectués par un marcheur pour lui permettre d'évaluer la distance parcourue est un podomètre.
3. L'appareil servant à mesurer l'altitude est un altimètre.
4. L'appareil qui mesure la distance parcourue est un odomètre.
5. L'appareil servant à mesurer la pression d'un fluide est un manomètre.
6. L'appareil servant à la mesure de l'acuité auditive, du seuil d'audition est un audiomètre.
7. L'instrument précis servant à mesurer le temps est un chronomètre.

8. L'appareil qui mesure le degré d'humidité de l'air est un hygromètre.
9. L'instrument qui sert à mesurer la densité, la pression des liquides est un hydromètre.
10. Le petit appareil qui sert à vérifier le taux de glucose sanguin à domicile est un glucomètre (appelé parfois lecteur de glycémie).

EXERCICE 19

CORRIGÉ

1. Le restaurateur d'œuvres d'art a complètement éliminé la suie qui recouvrait le tableau.
2. Supportez-vous le bruit des voitures au moment des courses au circuit Gilles-Villeneuve ?
3. « Une voisine affolée vint frapper à mon huis », chante Brassens dans *L'Orage*. ▸ *Huis* est un ancien mot pour *porte, ouverture*. On retrouve aujourd'hui le nom *huis* dans la locution *à huis clos*.
4. Le poulet est trop cuit, quel ennui !
5. Le cultivateur a détruit l'auge contaminée où se nourrissaient les truies.
6. Sors ton parapluie de son étui, c'est l'orage !
7. Ce produit contient du millepertuis.
8. La tombée de la nuit a nui aux recherches.
9. Les chauves-souris fuient la lumière.
10. On dit de lui que c'est un puits de science.

EXERCICE 20

CORRIGÉ

1. Étant donné la conjoncture économique, le projet a été reporté : c'est une mise en veilleuse pour le moment.
2. À l'encan, la mise à prix de ce tableau a été de 3 000 $.
3. On a dû procéder à des mises à pied ; de nombreux employés ont malheureusement perdu leur emploi.
4. La mise en circulation du nouveau billet de 50 $ en polymère s'est faite le 26 mars 2012.
5. L'organisation du jeu des acteurs à la scène, au cinéma, etc., est la mise en scène.
6. Elle a été victime d'une mise en boîte ; jamais elle n'a suspecté la supercherie.
7. Chez le coiffeur, l'expression « mise en plis » a de plus en plus un petit air démodé.
8. Le livre sera imprimé sous peu puisque nous en sommes maintenant à l'étape de la mise en pages.
9. Rares sont ceux qui se réjouissent à la réception d'une mise en demeure !
10. Dès la mise au point du moteur, le coureur reprendra le volant.

EXERCICE 21

CORRIGÉ

1. À cause de l'**inondation**, nous avons subi une perte **irrémédiable**.
2. Son parrain, en l'**occurrence** son cousin Georges, **assurera** sa subsistance.
3. Le navire viking, le **drakkar**, est représenté dans l'**illustration** de couverture.
4. Déposer le poulet **pané** dans la **casserole**.
5. Dans ce décor **suranné**, les souvenirs **resurgissent** (ou **ressurgissent**).
6. Son costume tout **fripé** le rendait **irascible**.
7. Rien ne me plaît tant que de déguster une **citronnade** sous un **parasol**.
8. Le **ballottement** du **voilier** a rendu certains touristes malades.
   ▸ Selon les R. O., on peut écrire *ballotement*.
9. Le **paravent** abritait le **mannequin** en train de se vêtir.
10. Son voisin de **palier** lui **susurra** des mots doux.
    ▸ Le verbe *pallier* s'écrit, lui, avec deux *l*.

EXERCICE 22

CORRIGÉ

1. La réceptionniste doit décommander la réunion qui a été **fixée** (**prévue**, **programmée**) pour ce matin.
2. Ce sont les **avantages sociaux** qui incitent Jean à garder son emploi.
   ▸ *Bénéfices marginaux est un calque de l'anglais *fringe benefits*.
3. En panne d'inspiration, le rédacteur remplit la **corbeille** (à papier) des multiples brouillons de son rapport.
   ▸ Mais l'expression *mettre au panier* est correcte.
4. Il a donné sa **démission** sur un coup de tête.
   ▸ De même, au lieu de *recevoir sa notice, il faut dire *recevoir son avis de congédiement, être congédié*.
5. L'infirmière fera des **heures supplémentaires** à cause du grand nombre de blessés.
6. Fraîchement diplômé, Gaston **a postulé** un poste de relationniste.
   ▸ On peut aussi dire : *postuler à* ou *pour un poste*.
7. Le gardien, qui assure aussi l'**entretien**, viendra nettoyer l'entrepôt.
   ▸ La maintenance désigne l'ensemble des opérations exécutées dans le but de maintenir un système ou une partie du système dans un état de fonctionnement normal, par exemple *la maintenance d'un avion*.
8. Son bureau est situé au deuxième **étage** de l'immeuble.
   ▸ Mais on dira correctement : *Le plancher du deuxième étage s'est effondré.*
9. Mireille a trouvé **un nouvel emploi** (**une nouvelle situation**) : elle est devenue préposée aux malades.
10. La direction a pris les mesures nécessaires pour éviter le **double emploi**.

EXERCICE 23

CORRIGÉ

1. Faux.
   ▸ Le trait d'union lie tous les éléments dans les numéraux composés, qu'ils soient supérieurs ou inférieurs à *cent*.
2. Vrai.
3. Faux.
   ▸ Les mots composés empruntés à d'autres langues s'écrivent en un seul mot, ainsi que les onomatopées.
4. Vrai.
5. Faux.
   ▸ « [...] les rectifications de l'orthographe sont des recommandations, des propositions; même si elles sont officielles, elles n'ont pas de caractère obligatoire ». Office québécois de la langue française.
6. Faux.
   ▸ Les mots empruntés à d'autres langues suivent la règle du singulier et du pluriel et sont accentués selon les règles du français.
7. Vrai.
8. Vrai.
9. Les mots suivants ont été touchés par les R. O. :

   août (on peut écrire *aout*)
   gageure (on peut écrire *gageüre*)
   mille-pattes (on peut écrire *millepatte*)
   paraître (on peut écrire *paraitre*)
   pare-avalanche (on peut écrire *paravalanche*)
   tequila (on peut écrire *téquila*)

10. Les mots qui suivent peuvent s'écrire ainsi selon les R. O. :

   cachotterie peut s'écrire cachoterie
   flûtiste peut s'écrire flutiste
   affût peut s'écrire affut
   a fortiori peut s'écrire à fortiori
   grommellement peut s'écrire grommèlement
   asseoir peut s'écrire assoir
   ballottement peut s'écrire ballotement

EXERCICE 24

CORRIGÉ

1. Faillir et sévir.
2. Falloir.
3. Ressortir.
   ▸ Ne pas confondre le verbe *ressortir*, qui signifie « relever de », avec le verbe *ressortir*, qui signifie « sortir de nouveau » et dont la conjugaison diffère. *Les enfants entrent se réchauffer, puis ressortent aussitôt.*
4. Se départir.
5. Être.
6. Fondre.
7. Avoir.
8. Être.
9. Fonder.
10. Valoir.

EXERCICE 25

CORRIGÉ

1. Le vétérinaire a aussitôt posé un garrot au chevreau pour arrêter l'hémorragie.
2. L'enclos de pierre a été repeint à la chaux.
3. Le matelot a vu un cachalot par le hublot.
4. C'est le jour du Souvenir : bien des badauds portent l'insigne du coquelicot.
5. Certains produisent un sirop à partir de la sève de bouleau.
6. Le client est monté sur ses ergots devant le gigot presque calciné.
7. Le finaud allait s'emparer des bijoux quand, soudain, Fido découvrit ses crocs : brave chien !
8. Le transport en cargo est gratuit, mais pour le reste des dépenses, chacun doit payer son écot.
9. Il est complètement accro aux jeux vidéo.
   ▸ Ne pas confondre avec le nom *accroc*, qui signifie « déchirure ».
10. Un peu penaud, Marc s'est fait l'écho des plaintes de ses collègues.

EXERCICE 26

CORRIGÉ

1. L'étude des reptiles est l'erpétologie.
2. La science des pierres fines est la gemmologie.
3. La science des rapports linguistiques, sociaux, économiques des ethnies est l'ethnologie.
4. La science qui étudie les oiseaux est l'ornithologie.
5. La science qui étudie l'écriture d'une personne est la graphologie.

6. La partie de la zoologie qui étudie les insectes est l'entomologie.
7. L'étude scientifique d'une langue par l'analyse critique des textes est la philologie.
8. La science qui a pour objet les questions religieuses est la théologie.
9. L'étude des drapeaux est la vexillologie.
10. La science qui étudie les poisons est la toxicologie.

EXERCICE 27

CORRIGÉ

1. Il mange en glouton : à peine commencé, son repas est aussitôt avalé.
   ► Il s'agit de l'adverbe *aussitôt,* qui signifie « immédiatement ».
2. Étant donné la frousse qu'il a eue, le voleur ne devrait pas revenir de sitôt.
   ► Dans cette locution, *sitôt* s'écrit en un mot.
3. Revenez-nous bientôt, après la pause publicitaire, dit l'animateur.
   ► Il s'agit de l'adverbe *bientôt,* qui signifie « dans peu de temps ».
4. La fête commence à peine, pourquoi partir si tôt ?
   ► Il s'agit de la locution qui s'écrit en deux mots, le contraire de *si tard.*
5. Il est bien tôt pour annoncer le succès de cette entreprise.
   ► Il s'agit de la locution qui s'écrit en deux mots, le contraire de *bien tard.*
6. Aussitôt après son arrivée, la fête a commencé.
   ► Il s'agit de l'adverbe *aussitôt,* synonyme de *immédiatement.*
7. J'ai hâte de le voir, son avion atterrira-t-il bientôt ?
   ► Il s'agit de l'adverbe *bientôt,* qui signifie « dans peu de temps ».
8. Ils veulent être sur place à l'aube : ça me semble bien tôt comme heure d'arrivée…
   ► Il s'agit de la locution qui s'écrit en deux mots, le contraire de *bien tard.*
9. Elle est arrivée aussi tôt que les premiers invités.
   ► Il s'agit de la locution qui s'écrit en deux mots, le contraire de *aussi tard.*
10. Il sera bientôt 6 heures.
   ► Il s'agit de l'adverbe *bientôt,* qui signifie « dans peu de temps ».

EXERCICE 28

CORRIGÉ

1. Il vaudrait mieux que tu arrives tôt.
2. Les voisins se dessaisissent de leurs livres à cause de leur départ à l'étranger.
3. Ne crains-tu pas que ton attitude déçoive ton entourage ?
4. Je conclurai mon exposé par de brefs remerciements.
5. Il faut que l'eau bouille pendant 20 minutes avant de s'en servir pour nettoyer la blessure.
6. Depuis l'inondation de l'an dernier, nous craignions le même dégât cette année ; mais cela nous a été épargné.

7. Les profits se répartissent en trois parts égales.
8. Contredisez-moi si je me trompe, je vous en serai reconnaissant.
9. L'accusé ne se départ jamais de son calme, même sous les pires insultes.
10. Le gardien exigeait que nous éteignissions les lampes avant 22 heures.

EXERCICE 29

CORRIGÉ

1. – Viendrez-vous dîner ce soir ?
   – Non, je mangerai plutôt chez moi.
2. Un poney est une monture appropriée pour les enfants.
3. Elle s'est trouvée mal et a saigné du nez.
4. Elle a égaré la clef de son attaché-case.
   ▸ On écrit *clef*, mais plus couramment *clé*.
5. Assez discuté, ma décision est arrêtée !
6. Habitez-vous au rez-de-chaussée ?
7. Il faudrait consulter la banque de données de l'université.
8. Le cuisinier a préparé un chutney très épicé.
9. Oyez ! clamaient les camelots de jadis.
   ▸ *Oyez* est la 2e personne du pluriel de l'impératif de l'ancien verbe *ouïr*, qui signifiait « écouter ».
10. Je viendrai ce soir si vous le voulez bien.

EXERCICE 30

CORRIGÉ

1. Le film est encore interrompu par une pause publicitaire (ou un message publicitaire) !
2. Je ne veux pas manquer *Mad Men*, quelle bonne émission !
   ▸ Mais on dira : *la télévision offre un bon programme pour la soirée* au sens « d'un bel horaire ».
3. Le téléroman utilise la technique du retour en arrière (de la rétrospective) pour nous faire connaître les motivations du justicier.
4. Ce soir, on passe le film policier *Raccrochez, c'est une erreur* à la télé.
5. Elle n'a plus le temps d'aller travailler depuis qu'elle suit toutes les séries à la télévision.
6. Le commanditaire a acheté un message publicitaire.
7. L'émission est enregistrée devant un auditoire de 200 personnes.
8. La projection du film sera interrompue par un entracte de 15 minutes.
9. L'humoriste a présenté son numéro en direct.
10. Le documentaire a été interrompu pour la diffusion d'une nouvelle-éclair.

EXERCICE 31 **CORRIGÉ**

accolade	est	féminin
acné	est	féminin
acrostiche	est	masculin
agrume	est	masculin
alarme	est	féminin
alvéole	est	masculin ou féminin
amalgame	est	masculin
anagramme	est	féminin
anicroche	est	féminin
antichambre	est	féminin
antidote	est	masculin
appendice	est	masculin
après-midi	est	masculin ou féminin
armistice	est	masculin
asphalte	est	masculin
astérisque	est	masculin
atmosphère	est	féminin
automne	est	masculin
automobile	est	féminin
autoroute	est	féminin
cantaloup	est	masculin
cèpe	est	masculin
cuticule	est	féminin
dinde	est	féminin
ébène	est	féminin
échappatoire	est	féminin
écritoire	est	féminin
effluve	est	masculin
effusion	est	féminin
éloge	est	masculin

énigme	est	féminin
épitaphe	est	féminin
exemple	est	masculin
extrême	est	masculin
guimauve	est	féminin
haltère	est	masculin
hélice	est	féminin
horloge	est	féminin
interface	est	féminin
lignite	est	masculin
moustiquaire	est	féminin
nacre	est	féminin
oasis	est	féminin
octave	est	féminin
omoplate	est	féminin
once	est	féminin
orbite	est	féminin
orchestre	est	masculin
oreille	est	féminin
orifice	est	masculin
orthographe	est	féminin
ovule	est	masculin
pétale	est	masculin
pétoncle	est	masculin
pleurote	est	masculin
stratosphère	est	féminin
tentacule	est	masculin
ulcère	est	masculin
urticaire	est	féminin
vidéo	est	féminin

EXERCICE **32**

CORRIGÉ

1. Si seulement une panacée ~~universelle~~ existait, tous les chercheurs seraient prêts à collaborer ~~ensemble~~.
2. L'animateur n'a pu placer un mot : son invité, visiblement atteint de logorrhée ~~verbale~~, a accaparé le micro pendant toute l'interview.
3. Ce pharaon ~~égyptien~~ qui illustre la couverture du guide touristique, est-ce Ramsès II ?
4. Pour expliquer son retard, il a inventé un ~~faux~~ prétexte.
5. Nous verrons plus tard si le récit de l'agression s'avère ~~vrai~~ ; pour le moment, il est urgent de stopper l'hémorragie ~~de sang~~ de la victime.
6. Tout est réglé : nous nous sommes entraidés ~~mutuellement~~ et la situation est revenue à la normale.
7. La blondeur des dunes ~~de sable~~ du Sahara est gravée à tout jamais dans ma mémoire.
8. Les bourrasques ~~de vent~~ ont été telles que la rencontre a été ajournée ~~à plus tard~~.
9. Ces produits transformés sont presque tous exportés ~~à l'étranger~~.
10. La production québécoise de cidre ~~de pommes~~ est de plus en plus recherchée.

EXERCICE **33**

CORRIGÉ

1.	un récital	des récitals	un festival	des festivals
	un bal	des bals	un journal	des journaux
	un carnaval	des carnavals	un minéral	des minéraux
	un fanal	des fanaux	un narval	des narvals
2.	un roseau	des roseaux	un feu	des feux
	un bleu	des bleus	un landau	des landaus
	un boyau	des boyaux	un pneu	des pneus
	un émeu	des émeus	un sarrau	des sarraus
3.	un ail	des ails ou aulx	un émail	des émails ou émaux
	un bail	des baux	un rail	des rails
	un corail	des coraux	un soupirail	des soupiraux
	un détail	des détails	un vitrail	des vitraux
4.	un bijou	des bijoux	un écrou	des écrous
	un bisou	des bisous	un fou	des fous
	un caillou	des cailloux	un genou	des genoux
	un chou	des choux	un hibou	des hiboux
	un clou	des clous	un pou	des poux

5. un arc-en-ciel — **des arcs-en-ciel**
une arrière-pensée — **des arrière-pensées**
un chauffe-eau — **des chauffe-eau** (les R. O. admettent : **chauffe-eaux**)
un chef-d'œuvre — **des chefs-d'œuvre**
un garde-chasse — **des gardes-chasse** ou **gardes-chasses**
un savoir-faire — **des savoir-faire**

EXERCICE 34 **CORRIGÉ**

1. Changer des euros contre des billets **verts**.
► Les billets verts sont les dollars américains.

2. L'or noir est la seule richesse de certains pays, mais quelle richesse !
► L'or noir, c'est le pétrole.

3. Elles sont fleur **bleue** et aiment les films à l'eau de rose.
► Une fleur bleue est une personne sentimentale. La locution *fleur bleue* est invariable.

4. Le spectateur n'osa répliquer aux blagues de l'humoriste à son endroit : il se contenta de rire **jaune**.
► Un rire jaune est un rire forcé.

5. Ces tâches inhumaines l'ont saigné à **blanc**.
► Être saigné à blanc, c'est être épuisé.

6. L'avocate s'est emportée devant le témoin au récit cousu de fil **blanc**.
► *Cousu de fil blanc* : trop apparent, qui ne trompe personne.

7. Faire travailler sa matière **grise** protège-t-il du vieillissement ?
► La matière grise, c'est le cerveau et, par extension, l'intelligence.

8. Il se plaît à agiter le chiffon **rouge** à la moindre occasion : c'est un polémiste-né.
► Agiter le chiffon rouge, c'est mettre en avant un sujet qui vise à une discussion vive.

9. En avez-vous déjà vu, des petits hommes **verts** ?
► Des petits hommes verts, ce sont des extraterrestres.

10. Le gaspillage, c'est sa bête **noire** ; il se consacre à la simplicité volontaire.
► *C'est sa bête noire* : une chose qu'il a en horreur.

EXERCICE 35

CORRIGÉ

1. Le mauvais sort s'acharne sur lui, sa santé se détériore très vite.
2. La durée de vie de l'alligator est généralement de 50 ans.
3. Dans son for intérieur, il sait fort bien que ce raisonnement est plutôt retors.
4. Au Maroc, elle est allée au bain maure, qu'on appelle « hammam ».
5. À qui est attribué ce mot historique : *Tout est perdu, fors l'honneur ?*
   ▸ Dans cette phrase attribuée à François Ier, le mot *fors* signifie « excepté ».
6. Je n'ai jamais mangé de hareng fumé, aussi appelé « hareng saur ».
7. Cette lotion pour le corps referme tous les pores de la peau.
8. Fort heureusement, le cri de la mandragore n'existe que dans les histoires de Harry Potter.
9. Le tyrannosaure était un carnivore mesurant jusqu'à 15 mètres de long.
10. Je me demande si le centaure de la mythologie pouvait prendre le mors aux dents !

EXERCICE 36

CORRIGÉ

1. Le client a réglé sa facture avec un chèque sans provision.
   ▸ Une provision est une somme déposée à la banque pour garantir le paiement des chèques.
2. L'entrepreneur s'est enrichi en acceptant des pots-de-vin sur tous les travaux.
3. Le comptable a rendu son travail avec une semaine de retard.
   ▸ Un délai est le temps prévu pour l'exécution d'une chose, d'une obligation.
4. Le lave-auto a été relocalisé sur un terrain plus grand.
5. Vic travaille à la succursale de Toronto.
6. Ces données sont précieuses : il faut sauvegarder ce fichier sans tarder.
7. Il faut demander un prix (un devis, une soumission) pour les travaux à faire au sous-sol.
   ▸ Un devis est un état détaillé des travaux à exécuter avec l'estimation des prix.
8. L'entreprise en est à sa première année d'exploitation.
9. Le patron a réuni son état-major pour trouver une solution.
10. L'acheteur passe une commande au fournisseur.
    ▸ *Placer une commande est le calque de *to place an order*.

EXERCICE 37

CORRIGÉ

1. La riposte a exacerbé sa colère; il était complètement exaspéré.
2. Ce n'est qu'après la mort de ce savant que ses mérites ont été exaltés.
3. Elle se plaît à exhiber ses bijoux achetés à des prix exorbitants.
4. Dans son discours, il exhortait son adversaire à cesser son charabia.
5. La proximité de ce jardin fleuri nous procure des exhalaisons odorantes.
6. C'est un philanthrope, il abhorre les profits matériels.
7. Il faudra exhausser cet immeuble d'un étage.
8. Dans les années folles, l'exubérant Dali s'adonnait à l'absinthe, très en vogue à l'époque.
9. L'héliotrope est une plante qui doit son nom au fait que ses fleurs se tournent vers le soleil.
10. Il faut d'urgence prendre un rendez-vous en ophtalmologie.

EXERCICE 38

CORRIGÉ

1. L'appareil d'enregistrement et de reproduction des images et du son utilisant des bandes magnétiques est un magnétoscope.
2. L'instrument d'optique permettant de grossir les objets très petits est un microscope.
3. L'instrument médical qui permet d'écouter à l'intérieur du corps (le cœur, les poumons, etc.) est un stéthoscope.
4. L'instrument d'optique qui sert à l'observation des astres est un télescope.
5. L'appareil optique permettant à l'équipage d'un sous-marin en plongée de voir à la surface de la mer est un périscope.
6. La caméra vidéo portative avec magnétoscope est un caméscope.
7. L'appareil de mesure de la proportion de poussières dans l'air est un aéroscope.
8. Le cylindre que l'on fait tourner et dans lequel des morceaux mobiles de verre de diverses couleurs composent des images symétriques et variées à l'aide d'un jeu de miroirs est un kaléidoscope.
9. L'instrument d'optique muni d'un éclairage et qui est destiné à l'examen des cavités internes du corps ou d'un conduit du corps à des fins diagnostiques ou thérapeutiques est un endoscope.
10. L'écran lumineux qui sert à l'examen des radiographies est un négatoscope.

EXERCICE 39

CORRIGÉ

1. Ce peuple, opprimé mais valeureux, a maintenant acquis sa liberté.
2. Pour nous abriter, nous n'avons trouvé qu'une horrible baraque.
3. La girolle est un champignon comestible.
4. La balistique est la science des mouvements des projectiles.

5. Faire une balade, c'est se promener; on peut toujours en profiter pour chanter une ballade.
6. Le 14 février, il a reçu un colis bien ficelé qui contenait une boîte de chocolats enrubannée de velours.
7. Cassonade et cannelle ont été ajoutées avant de fermer la papillote.
8. Cesse de faire le mariolle (ou mariole ou mariol), tu affoles tout le monde avec tes simagrées !
   ▸ Les R. O. recommandent la graphie *mariole*.
9. C'est une vraie tête de linotte qui s'enflamme pour un oui pour un non.
10. Ces profits sont illicites, dit l'inspecteur d'un ton irrité.

EXERCICE 40

CORRIGÉ

1. Aujourd'hui il se pavane, fier comme Artaban, mais attention à la chute !
   ▸ D'Artagnan est le personnage principal des *Trois Mousquetaires* d'Alexandre Dumas, tandis qu'Artaban est plutôt le nom d'un protagoniste du roman *Cléopâtre* de Gautier de la Calprenède.
2. On peut dire qu'elle a fait mouche avec son nouveau produit : les clients affluent.
3. Depuis qu'il est champion d'orthographe, il nous tient la dragée haute.
4. C'est la troisième fois que mon client me paie avec un chèque sans provision : j'ai l'impression d'être le dindon de la farce.
5. Le mode d'emploi est concis, mais clair comme de l'eau de roche.
6. Les produits de cette confiserie sont à la portée de toutes les bourses.
7. Sa voix de stentor a apeuré les autres convives du restaurant.
8. Après un mois au soleil, il se porte comme un charme.
9. Ne le laisse pas te payer en monnaie de singe : exige des documents officiels.
10. Le directeur s'absentera quelques jours; c'est son adjoint qui veillera au grain pendant ce temps.

EXERCICE 41

CORRIGÉ

1. Le décret est tombé comme un couperet.
2. C'est un fin gourmet, il apprécie le magret de canard.
3. Le touriste a enlevé son béret à l'entrée du palais.
4. Cléopâtre prit le portefaix sur le fait.
5. Les minarets sont les tours des mosquées où prient les musulmans.
6. Le concierge passe le balai sur la scène avant l'arrivée des danseurs de ballet.
7. C'est grâce aux coussinets qu'il a sous les pattes que le chat se déplace sans faire de bruit.
8. Un mets, un civet je crois, nous a été servi sans délai.
9. C'est un fait : le subjonctif plus-que-parfait est peu utilisé.
10. Le temps était frisquet et il pleuvait à boire debout.

EXERCICE 42

CORRIGÉ

1. Il y a eu affluence dans la boutique ce matin, **ça n'a pas dérougi**.
2. Il **court la galipote** sans vergogne et il se croit un grand séducteur !
3. Nous nous sommes réunis pour préparer une gibelotte tout en **placotant**.
   ▶ Soupe de poisson très prisée dans la région de Sorel, la gibelotte est, en France, un ragoût de viande blanche au vin blanc.
4. Bruno, laisse ton petit frère tranquille ; cesse de l'**achaler** immédiatement !
5. Sa mère **a abrié** le bambin en le mettant au lit.
6. Il faudra s'habiller chaudement, c'est **cru** aujourd'hui.
7. La mauvaise humeur est son état habituel ; elle est **marabout** dès son lever.
8. Vingt heures ! Partons avant la **noirceur** !
9. Ne laisse pas les enfants faire des galipettes au bord de l'eau : c'est très **creux** ici.
10. Nous passerons quelques jours à pêcher dans une **pourvoirie** en mai.

EXERCICE 43

CORRIGÉ

1. C'est en **fabriquant** des figurines que ce **fabricant** est devenu **millionnaire**.
2. Ce **mets** est délicieux, j'en prendrais **davantage**.
3. Le **coing** est un fruit très riche en fibres ; la **mirabelle** l'est un peu moins.
4. Une ampoule fluocompacte dure de six à dix fois plus **longtemps** qu'une ampoule à **incandescence**.
5. Le meneur **s'époumone** pour tenter **d'enterrer** la clameur des manifestants.
6. Un **aqueduc** est une **canalisation** qui sert à transporter l'eau d'un lieu à un autre.
7. On **soupçonnait** un cancer, mais on a finalement découvert qu'il était atteint de **cirrhose**.
8. L'**emphysème pulmonaire** est une affection très courante dans cette famille.
9. Il est entré en **catimini** pour ne pas effrayer les **oisillons**.
10. Seul le divorce a mis fin aux **dissensions familiales**.

EXERCICE 44

CORRIGÉ

1. Je voudrais bien que tu **fasses** ce que je te dis.
2. Puisqu'il **est** tard, nous devons partir.
3. La comédienne répète son rôle jusqu'à ce qu'elle le **sache** par cœur.
4. Tu seras en retard, à moins que tu ne **prennes** le prochain train.
5. En attendant que vous **soyez** prêt à partir, je vais vous préparer un goûter.
6. Afin que vous **puissiez** lire le document à votre aise, installez-vous ici.
7. Lorsque vous **prenez** ce médicament, abstenez-vous de boire du lait.
8. La réussite n'est pas assurée, même si nous **faisons** notre possible.
9. En admettant qu'il **fasse** beau, la réception aura lieu dans le jardin.
10. Nous l'aiderons, dans la mesure où il le **veut** bien.

EXERCICE 45

CORRIGÉ

1. Le hongrois nous a donné le nom *hussard* (le hussard était un cavalier dans l'armée hongroise).
2. La hantise des sinistrés est de revivre l'horreur des inondations de l'année dernière.
3. Tous admirent la hardiesse dont il a fait preuve en rattrapant le hors-bord qui allait s'écraser sur les rochers.
4. Il a vendu l'hectare sur lequel se trouvait le hangar bâti par son grand-père.
5. Selon l'horticulteur consulté, l'hibiscus dépasse rarement plus de 1,50 mètre dans nos maisons.
6. Pour Amina, l'huile et la sauce à la harissa (ou à l'harissa) sont indispensables dans sa cuisine.
7. Le harassement l'a frappé après qu'il eut débité deux arbres à la hache.
8. Au Moyen Âge, le héraut avait comme fonction de faire les proclamations publiques.
9. Après avoir préparé le hachis préféré de ses enfants, Maria se repose dans le hamac de la hacienda.
10. Certains le surnomment l'Hurluberlu à cause de ses idées; d'autres l'appellent le Héron à cause de son long cou.

EXERCICE 46

CORRIGÉ

1. Faux.
   ▸ Le verbe *antagoniser n'existe pas en français. En français, *to antagonize*, c'est *heurter*, *offusquer quelqu'un*.
2. Faux.
   ▸ Au sens de « souhaiter », le verbe *apprécier* est un anglicisme.
3. Vrai.
4. Faux.
   ▸ C'est le nom *stock* qui s'emploie pour nommer les marchandises en magasin. L'inventaire est le relevé détaillé des marchandises d'une entreprise.
5. Faux.
   ▸ En ce sens, le verbe *développer* est correctement utilisé.
6. Faux.
   ▸ L'équivalent français de *dropout* est *décrocheur*, *décrocheuse*.
7. Vrai.
   ▸ La locution *année de calendrier est un anglicisme pour *année civile*.
8. Faux.
   ▸ Au sens de « poste, débouché », le nom *ouverture* est un anglicisme.
9. Faux.
   ▸ *Passé dû est un anglicisme.
10. Faux.
    ▸ La locution latine *per capita est un anglicisme.

EXERCICE 47

CORRIGÉ

1. Le golf est son activité favorite.
2. Elle craignait que la tumeur ne soit maligne.
3. Peut-être devrions-nous recourir à une tierce personne.
4. En Espagne, il est complètement tombé sous le charme d'une danseuse andalouse.
5. Les machines à écrire sont complètement caduques.
6. Elle resta coite devant la beauté de la Maison symphonique de Montréal, inaugurée le 7 septembre 2011.
7. Au Québec, on ne parle plus de sculpture esquimaude, mais de sculpture inuite.
   ▸ L'adjectif et le nom *inuit* s'accordent en genre et en nombre.
8. C'est une personne replète, c'est-à-dire qu'elle est grassouillette.
9. Elle fit taire ses pensées vengeresses, qui drainaient toutes ses énergies.
10. La courbe traîtresse de la route a causé bien des dérapages.

EXERCICE 48

CORRIGÉ

1. Résoudre.
2. Moudre.
3. Seoir.
4. Mouvoir.
5. Conquérir.
6. Échoir.
7. Être.
8. Servir.
9. Valoir.
10. Falloir.

EXERCICE 49

CORRIGÉ

1. Malgré la mauvaise foi du témoin, l'accusé reste sur son quant-à-soi.
2. Elle a appuyé toute seule la lourde croix de bois contre la paroi, quel exploit !
3. Il prévoit refaire le toit du voisin hongrois, le croies-tu ?
4. Avec effroi, le pilote constate que la vitesse de l'appareil décroît à un rythme affolant.
   ▸ Les R. O. acceptent la graphie *décroit*.
5. Le foie gras d'oie est pour lui un mets de choix.
6. Ne sois pas rabat-joie, et reçois ses excuses.

7. Ce chocolat viennois te donnera un surcroît d'énergie.
   - Les R. O. acceptent la graphie *surcroit.*
8. S'ils étaient un tant soit peu aimables, nous les inviterions une deuxième fois.
9. À mon grand désarroi, mon pékinois aboie beaucoup la nuit.
10. Les rares passants marchaient de guingois, luttant contre le suroît qui s'était levé brusquement.
    - Les R. O. acceptent la graphie *suroit.*
    - *Marcher de guingois,* c'est « marcher de travers ».

EXERCICE 50

CORRIGÉ

1. C'est un vrai pot de colle, elle vient chaque semaine, sa visite est hebdomadaire.
2. En France, avant l'an 2000, le président était élu pour un mandat d'une durée de sept ans, soit un septennat.
3. Une rencontre internationale de manifestations artistiques comme celle tenue tous les deux ans à Venise est une biennale.
4. Ce magazine paraît tous les deux mois, sa parution est donc bimestrielle.
5. Au travail, Gaétan sera évalué tous les six mois, il subira donc une évaluation semestrielle.
6. Ce journal paraît tous les jours, c'est un quotidien.
7. Il voit un thérapeute deux fois par mois : sa visite est donc bimensuelle.
8. Le prix littéraire Gilles-Corbeil est décerné tous les trois ans, c'est un prix triennal.
9. Un plan d'une durée de cinq ans a été établi, c'est un plan quinquennal.
10. Les chênes vieux de plusieurs siècles de l'Abitibi sont impressionnants ; ces chênes sont séculaires.

INDEX

NOTE : LES CHIFFRES INDIQUÉS RENVOIENT AU NUMÉRO DES EXERCICES

NOTES

NOTES

NOTES

NOTES

NOTES

NOTES

NOTES

NOTES

NOTES

NOTES

NOTES

NOTES

NOTES

NOTES

NOTES

NOTES

NOTES

NOTES

NOTES

NOTES

NOTES

NOTES

NOTES